ACHEVÉ D'IMPRIMER SUR
LES PRESSES DES ATELIERS
MARQUIS DE MONTMAGNY
LE 28 SEPTEMBRE 1983 POUR
LES ÉDITIONS LEMÉAC INC.

Souvenirs et Confidences

La photographie de Monsieur Bona Arsenault, sur la couverture, est signée *Delphis Fournier.*

Maquette de la couverture: Jacques Léveillé

ISBN 2-7609-5113-8

Dépôt légal — Bibliothèque nationale du Québec
3e trimestre 1983

Imprimé au Canada

Bona Arsenault

Souvenirs et Confidences

LEMÉAC

DU MÊME AUTEUR

Québec, Institut Littéraire du Québec
Malgré les obstacles, 1953.

Québec, Conseil de la Vie française en Amérique
L'Acadie des Ancêtres, 1955.
Histoire et Généalogie des Acadiens, en deux tomes, 1965.
Histoire des Acadiens, 1966.
History of the Acadians, 1966.
Louisbourg 1713-1758, 1971.

Québec, Action Sociale
Bonaventure 1760-1960, en collaboration, 1960.

Montréal, Éditions Leméac
Histoire et Généalogie des Acadiens, en six tomes, 1978.
History of the Acadians, deuxième édition, 1978.

Montmagny, Éditions Marquis Ltée
Les Registres de Bonaventure 1791-1900, 1981.
Les Registres de Bonaventure 1900-1960, 1982.

À mon épouse Lisette

À tout jamais…

Tout le long de ce voyage, la vie est ponctuée de moments d'évasion où nous aspirons à un état de bonheur immuable. La tradition nous permet de nous évader dans un monde affectif ou de puiser le réconfort dans les tendres souvenirs des années passées.

Inscription recueillie
au Musée de l'Homme à
Ottawa, le 22 octobre 1981

PRÉSENTATION

Dans *Malgré les obstacles*, bouquin que j'ai publié en 1953, je relatais avec un brin d'humour les péripéties de mon enfance, de mon adolescence, et de mes premières armes en politique. Je rappelais avec nostalgie ces années où, fils d'un colon de Thivierge, situé au deuxième rang de la paroisse de Bonaventure, en Gaspésie, je faisais mes pénibles débuts dans la vie. J'évoquais ensuite cette belle époque où le succès ayant commencé à me sourire, mes concitoyens du comté de Bonaventure m'avaient désigné comme leur représentant au Parlement canadien.

Après un si grand nombre d'années, je me prends souvent à méditer sur les événements survenus depuis cette lointaine époque, dont plusieurs ont laissé leur empreinte sur notre collectivité. Je me remémore ces hommes, dont plusieurs ont été de mes amis très chers qui, après avoir joué des rôles de premier plan dans la direction des affaires de la Province et du pays, sont sitôt disparus. Dans mon esprit je les revois passer les uns après les autres, au fil des années, pour ensuite disparaître avec la rapidité de l'éclair.

Élu député de mon comté natal de Bonaventure à la Chambre des communes, pour la première fois, aux élections générales de 1945, subséquemment réélu en 1949 et en 1953, j'ai fait partie du Parlement canadien en qualité de député libéral jusqu'en 1957, soit pendant douze ans.

Puis, de 1960 à 1976, durant seize ans, j'ai représenté le comté de Matapédia à l'Assemblée nationale du Québec. Membre de l'équipe de Jean Lesage, j'ai été ministre dans son gouvernement, de 1960 jusqu'à la défaite du Parti libéral provincial, en 1966. J'ai donc fait partie de ce groupe de rénovateurs ayant œuvré, comme membres du gouvernement du Québec, lors de l'exaltante période de la Révolution tranquille.

Au cours de ces vingt-huit années de vie politique active, dont douze passées à Ottawa et seize à Québec, j'ai rencontré d'illustres personnages, connu des hommes politiques de grande envergure et collaboré avec des personnalités qui ont exercé une influence décisive sur l'évolution de notre société.

C'est avec beaucoup d'hésitation que j'ai décidé d'entreprendre la rédaction des principaux souvenirs que j'ai conservés de ces années révolues. D'autant plus que parmi ces réminiscences se glissent plusieurs confidences. Mais, l'on m'a finalement convaincu qu'il eût été regrettable que les témoignages dont sont parsemés les pages de *Souvenirs et confidences* eussent un jour été emportés par le vent de l'oubli.

Bona ARSENAULT

I

MES DERNIÈRES ANNÉES À OTTAWA

De ma carrière politique sur la scène fédérale, ce sont les dernières années que j'ai passées à Ottawa qui ont été les plus fécondes en événements dont je conserve le souvenir le plus vivace.

Louis Saint-Laurent était premier ministre du Canada depuis 1948. Éminent avocat de la ville de Québec, originaire de Compton, en Estrie, il avait été assermenté ministre de la Justice et procureur général du Canada, le 10 décembre 1941, avant même de se faire élire dans Québec-Est aux complémentaires du 9 février 1942. Le 15 novembre 1948, il avait succédé à MacKenzie King comme premier ministre du pays à la suite d'un congrès national où il avait été élu chef du Parti libéral canadien.

C'est d'ailleurs MacKenzie King lui-même qui avait invité Louis Saint-Laurent à Ottawa, en 1941, pour en faire son bras droit et éventuellement son successeur, à la suite de la disparition du géant de la politique canadienne que fut Ernest Lapointe.

Louis Saint-Laurent avait été le deuxième Canadien de langue française, après sir Wilfrid Laurier, à devenir premier ministre du Canada. L'astucieux MacKenzie King avait ainsi posé un important jalon du principe de l'alternance des chefs de langue anglaise et de langue française au sein du Parti libéral canadien. Ce principe, ayant pour objet de renforcer l'unité canadienne, sera tacitement appliqué plus tard dans le choix des gouverneurs généraux du pays.

Le premier ministre Saint-Laurent était un véritable gentilhomme, ayant des manières de grand seigneur, comme l'on en rencontre peu de nos jours. Sans prétention, il était d'une exquise courtoisie. Si vous entriez dans son bureau, il abandonnait immédiatement son fauteuil de travail pour aller prendre un siège à vos côtés. S'il vous arrivait d'aller le saluer à sa table au restaurant du Parlement, il se levait comme mû par un ressort pour vous serrer la main, vous donnant l'impression que c'était vous-même qui étiez Louis Saint-Laurent.

Par son élocution lente et posée et le soin particulier qu'il mettait à prononcer distinctement chacun de ses mots, il retenait davantage l'attention de son auditoire et accentuait la valeur de son argumentation. Son gros bon sens campagnard était l'arme favorite avec laquelle il savait désarmer ses adversaires. Il était parfaitement bilingue.

Autant MacKenzie King gardait ses distances avec ses députés autant Louis Saint-Laurent se montrait affable à l'endroit de la députation libérale, en particulier de celle du Québec, qui le désignait familièrement sous le vocable de *mon oncle Louis*. Aussi, la venue à Ottawa de cet homme prestigieux avait-elle déclenché au sein du Parti libéral canadien une vague d'euphorie qui avait duré de longues années.

4-X-49

CABINET DU PREMIER MINISTRE
CANADA

Tous mes vœux à l'occasion de votre anniversaire "et nunc et semper".

Louis S. St. Laurent

M. Bona Arsenault, M.P.
Chambre des Communes.

Écriture et signature du premier ministre Louis Saint-Laurent.

Un jour, au début de la session parlementaire de 1950, j'avais décidé de solliciter une entrevue auprès du premier ministre Saint-Laurent. Connaissant bien les aléas de la politique, j'avais conçu les principaux éléments de l'établissement d'un plan de retraite destiné aux députés fédéraux. Je voulais faire part de mon projet au premier ministre en vue d'obtenir son adhésion.

Monsieur Saint-Laurent m'avait fort aimablement reçu. Non seulement s'était-il montré intéressé au projet que je lui avais soumis, mais il me confia la tâche de poursuivre mes recherches, jusqu'à ce que je sois en mesure de lui soumettre un plan final. Ce qui m'avait été possible de

Le premier ministre Louis Saint-Laurent en 1950, entouré du gouverneur général, le vicomte Alexander of Tunis, à sa droite, et de sir Winston Churchill, alors premier ministre d'Angleterre, à sa gauche. Cette photographie fut prise par l'*Office national du film*, lors d'un dîner à la résidence du gouverneur général à Ottawa, pendant la visite de sir Winston au Canada. Les sénateurs et députés de la Chambre des communes avaient été également invités.

faire après quelques mois de consultation avec mes collègues et les experts du gouvernement en la matière.

Or, vers la fin de la session parlementaire de 1951, il arriva que ce fut le premier ministre Saint-Laurent lui-même qui pilota en Chambre des communes le projet de loi touchant l'établissement d'un système de pension pour les députés, suivant les données du projet que je lui avais soumis. Cette législation, en vigueur depuis le 1er janvier 1952, a depuis servi de modèle pour la mise en œuvre de plans de retraite analogues par les gouvernements provinciaux.

Quelques mois plus tard, Paul Martin, alors ministre de la Santé nationale et du Bien-Être social dans le gouvernement Saint-Laurent avait bien voulu m'adresser la lettre suivante:

Ottawa, le 3 juillet 1952.

Mon cher Bona,

Il ne faudrait pas laisser passer l'occasion de l'adoption du bill des allocations de retraite des députés sans faire au moins mention du fait que ce bill n'aurait jamais vu le jour si ce n'avait été de vous.

Vous avez travaillé ferme, sans publicité aucune, à la préparation de cette mesure si importante aujourd'hui et à l'avenir pour un grand nombre de députés. En vous remerciant, je tiens à vous offrir mes sincères félicitations pour un travail si bien accompli.

Cordialement vôtre,

Paul Martin

Ministre de la Santé nationale
et du Bien-Être social

C'est ainsi qu'un plan de pension de retraite pour députés avait été institué pour la première fois au Canada.

Durant la Seconde Guerre mondiale, de 1939 à 1944, le gouvernement canadien avait mis en veilleuse le budget du ministère des Travaux publics touchant l'aménagement et la réfection des édifices publics, des quais et havres de pêche au pays, pour faire porter ses priorités sur l'effort de guerre.

Pendant les années que j'ai représenté la population du comté de Bonaventure à Ottawa, l'une de mes principales préoccupations avait été celle d'obtenir les importantes sommes d'argent nécessaires à la reconstruction et à la réfection de la plupart des installations portuaires de mon comté, alors si indispensables à l'économie de la région.

Jamais auparavant le comté n'avait connu une telle abondance de travaux publics mis en œuvre à coups de millions par le gouvernement fédéral. Après tant d'années, les anciens du comté s'en souviennent encore de nos jours.

Ma tâche, je dois le reconnaître, m'avait été grandement facilitée par les excellentes relations que j'entrete-

Groupe de parlementaires canadiens-français à Ottawa, en 1945. De gauche à droite: David Gourd (Chapleau); Maurice Gingues (Sherbrooke); le sénateur Jean-Marie Dessureault (Québec); Raymond Eudes (Hochelaga); Alphonse Fournier, ministre des Travaux publics; Bona Arsenault (Bonaventure); Alexis Caron, qui sera élu député de Hull en 1953; Jean Lesage (Montmagny-L'Islet); Joseph-Omer Gour (Russell, Ontario) et Maurice Lalonde (Labelle).

nais avec Alphonse Fournier, alors ministre fédéral des Travaux publics, sous l'œil bienveillant d'un Louis Saint-Laurent.

Parmi les principaux événements auxquels j'ai participé au cours des dernières années que j'ai passées à Ottawa, en qualité de député, je désire signaler: la Conférence de l'Unesco tenue à Montevideo, en Uruguay, en 1954; les commémorations du deuxième centenaire de la Déportation des Acadiens, qui eurent lieu en Acadie et en Louisiane, en 1955; la visite du gouverneur général du Canada, Vincent Massey, dans le comté de Bonaventure, au mois d'août 1956; et le voyage que j'ai effectué au Japon à l'automne de la même année.

À ma nomination comme délégué du Canada à la Conférence de l'UNESCO à Montevideo, en 1954, il y a déjà près de trente ans, je fus l'objet d'une réception de la part d'un groupe de mes amis au *Club de Réforme* de Québec. De gauche à droite: deux de mes fils, Jean et Julien; mon beau-fils, Richard Dumas; Jean-Paul Saint-Laurent, le fils du premier ministre; Jean Lehey; Gaston Esnouf; Jean-Charles Cantin; Wellie Morin; Édouard Lavergne; Georges Demers; moi-même; Henri Dutil; Claude Pratte; Gaston Pratte; Alexandre Lesage, frère de Jean; Gérard Larochelle; Jacques Dumoulin; Jean Rémillard; Paul Lesage et Lucien Rondeau.

Délégué à l'UNESCO

C'est au début du mois de novembre 1954, que le premier ministre Saint-Laurent avait proposé au Conseil des ministres ma nomination comme vice-président et chef suppléant de la délégation du Canada à la huitième conférence générale de l'Organisation des Nations Unies pour l'éducation, la science et la culture (Unesco) qui avait lieu à Montevideo, en Uruguay, du 11 novembre au 10 décembre 1954.

Monsieur Sydney D. Pierce, alors ambassadeur du Canada au Brésil, après avoir assisté à l'ouverture de la Conférence, à titre de président, devait aussitôt s'en re-

De droite à gauche: Bona Arsenault, chef suppléant de la délégation du Canada à l'UNESCO en 1954; C.F.W. Hooper, secrétaire général de la délégation; Fulgence Charpentier, chargé d'Affaires du Canada à Montevideo et C.W. Carter, député fédéral de Burin-Burgo à Terre-Neuve. Les autres délégués ne paraissent pas sur cette photographie.

tourner à Rio de Janeiro pour y représenter le Canada à la Conférence des États américains, tenue aux mêmes dates.

C'est ainsi qu'à son départ, je suis devenu le chef suppléant de la délégation canadienne. Ce rôle consistait à servir d'intermédiaire entre les présidents des délégations des autres pays, à représenter le Canada aux réceptions officielles, à adresser la parole aux assemblées et à voter au nom du Canada.

Outre l'ambassadeur du Canada au Brésil, la délégation canadienne se composait de six personnes recrutées dans les domaines des sciences, des arts et des lettres, dans diverses parties du Canada. Il y avait entre autres le Dr Philippe Panneton, originaire de Trois-Rivières, écrivain de grande réputation surtout connu sous le pseudonyme de *Ringuet*. Il est décédé à Lisbonne, au Portugal, en décembre 1960, où il avait été nommé ambassadeur.

Faisaient également partie de cette délégation, le chargé d'Affaires du Canada à Montevideo, Fulgence Charpentier, et deux conseillers techniques du ministère des Affaires extérieures.

Le voyage de quelque 14 000 milles, aller et retour, s'était fait en plusieurs étapes en passant par New York, Caracas, au Venezuela, et Rio de Janeiro, au Brésil, dans un quadrimoteur à hélices, dont certains specimens servent encore de nos jours à pulvériser nos forêts de produits chimiques insecticides.

On en était encore à l'époque où, avant de prendre les risques idiots d'une telle randonnée, il fallait s'armer de courage, se bourrer d'assurances contre les accidents, de pilules, et implorer les bénédictions du ciel.

L'Uruguay étant situé dans l'hémisphère méridional, le mois de novembre marque là-bas le début de la saison estivale et de la période de la récolte des fraises et autres fruits.

Comme il s'y fait de l'élevage sur une grande échelle, et qu'en ce pays il n'existe pas de clôture, des milliers de bêtes à cornes et de moutons sont surveillés par des *gauchos*, ou hommes montés à cheval.

La langue en usage est l'espagnol, dont j'avais eu l'heureuse précaution d'apprendre les principales notions avant mon départ du Canada.

Fondée par la Société des Nations Unies, en 1946, le principal but de l'Unesco est de contribuer au maintien de la paix et de la sécurité dans le monde en resserrant par l'éducation, la science et la culture, la collaboration entre les nations.

Cet organisme préconise les mesures nécessaires en vue de garantir la liberté d'expression et de supprimer les obstacles à la libre circulation, entre les pays du monde, d'informations non déformées.

Dans le domaine des sciences, l'Unesco fournit de l'aide technique, par le biais d'ingénieurs et d'hommes de science, aux pays sous-développés qui en ont besoin pour améliorer leur production agricole ou relever leur économie. Elle voit aussi à propager une saine éducation chez des millions d'analphabètes vivant dans les pays du Tiers-Monde.

Au point de vue de la culture, l'Unesco s'emploie à la conservation des trésors historiques de l'humanité, surtout dans certains pays dont les dirigeants ne comprennent pas la valeur de ces richesses ou n'ont pas à leur disposition les spécialistes qualifiés pour en assurer la conservation.

Avant mon retour au Canada, j'ai pu visiter Buenos Aires, la magnifique capitale de l'Argentine, dont la plupart des édifices sont d'un blanc immaculé. J'ai été invité à dîner à l'ambassade du Canada, en compagnie de

En compagnie des représentants du Vatican à l'UNESCO à Montevideo, en 1954. De gauche à droite: le docteur Jean Larnaud, secrétaire de la délégation du Saint-Siège; le R.P. Maurice Queguiner des Missions étrangères de Paris; Mgr Giuseppe Sensi, vice-président et observateur permanent du Vatican auprès de l'UNESCO et moi-même.

l'ambassadeur, le major général L.-R. Laflèche, de Madame Laflèche et de leur fils Jean.

En participant à des conférences internationales de cette nature, loin de son pays, un Canadien ressent profondément la fierté de ses origines. Il a aussi l'occasion de réaliser le respect et la haute considération dont est entouré le Canada par les représentants des autres nations du monde.

Les fêtes du souvenir acadien, en 1955

Au cours de l'année 1955, à l'occasion du deuxième centenaire de la Dispersion des Acadiens, de nombreuses manifestations avaient été organisées en leur souvenir en divers endroits du Québec, des provinces de l'Atlantique, de la Louisiane de même qu'en France.

Les principaux centres d'attraction de ces commémorations avaient été Port-Royal (Annapolis-Royal) et Grand-Pré, en Nouvelle-Écosse ; Moncton, au Nouveau-Brunswick ; Saint-Martinville et Lafayette, en Louisiane ; ainsi que Belle-Île-en-mer, au large des côtes de Bretagne, en France.

Port-Royal, le premier établissement permanent d'Acadie, fondé par les sieurs de Monts, Champlain et Poutrincourt, en 1605, avait été témoin des cent cinquante années de l'histoire du peuple acadien.

De nos jours, il ne reste plus rien de l'*Habitation* que Champlain, le futur fondateur de Québec, en 1608, avait érigé à Port-Royal, en 1605, sur une pointe de terre dominant légèrement le port, à l'endroit précis où se trouve aujourd'hui Lower-Granville, du côté nord de la rivière.

Mais, en 1939, le gouvernement canadien en a réalisé la reconstruction en s'inspirant du plan dessiné par Champlain lui-même, en 1605, et de la description qu'il en fit dans ses *Voyages*, en 1613.

Port-Royal était non seulement la première colonie française d'Amérique, mais aussi le premier établissement créé par des Européens au nord du golfe du Mexique, à l'exception de Saint-Augustine, en Floride, fondé par l'Espagnol Menendez, en 1565, d'ailleurs détruit trois ans plus tard, soit en 1568.

À une soixantaine de milles de Port-Royal, sur la Baie Française (Fundy), se trouvait le bassin des Mines. Il devait son nom au fait que les premiers habitants, qui avaient circulé dans cette région, y avaient découvert des dépôts d'un métal brillant qu'ils avaient confondu pour du cuivre.

À Grand-Pré

La paroisse de Saint-Charles-des-Mines, ou **Les Mines**, connue de nos jours sous le nom de Grand-Pré, était située sur ce bassin des Mines. Ses premiers habitants, originaires de Port-Royal, s'y étaient établis vers 1680. Dans cette même région se trouvait aussi une deuxième paroisse acadienne, celle de Saint-Joseph de la rivière aux Canards.

Lors de la Déportation, au signal du départ des Acadiens pour l'exil, le 27 octobre 1755, quatorze navires de transport étaient ancrés sur le bassin des Mines, à moins de deux milles de l'église paroissiale de Grand-Pré. Chargés de 1 600 Acadiens de la région, en plus de 1 300 habitants de Pisiguit (Windsor) et de Cobequid (Truro), ils rejoignaient dans la baie de Fundy dix autres vaisseaux sur lesquels se trouvaient 1 900 prisonniers acadiens capturés dans le district de Beaubassin (Amherst).

Cette flotte, escortée par des navires de guerre, transportait quelque 5 000 Acadiens qui ont été dispersés le long de l'Atlantique, dans les diverses colonies anglo-américaines de l'époque, du Massachusetts à la Géorgie.

Les Acadiens de Port-Royal, au nombre approximatif de 1 800, seront déportés sur d'autres vaisseaux, le 9 décembre 1755. Quant aux quelque 600 prisonniers acadiens, restés à Grand-Pré, en raison du nombre insuffisant de transports, ils seront expédiés en Nouvelle-Angleterre, vers la fin du mois de décembre 1755, avec plusieurs centaines de fugitifs, faits prisonniers dans l'entre-temps.

Il y avait environ 18 000 Acadiens en Nouvelle-Écosse, à l'époque de la Dispersion. De 7 000 à 8 000 d'entre eux furent déportés en Nouvelle-Angleterre, en l'automne de 1755. Plusieurs milliers d'Acadiens avaient déjà quitté l'Acadie ou la Nouvelle-Écosse, entre les années

1750 à 1755, pour se diriger vers l'île du Prince-Édouard, restée possession française jusqu'à la chute de Louisbourg, en 1758. D'autres s'étaient éparpillés vers les côtes de l'est du Nouveau-Brunswick actuel, notamment dans la région de Miramichi. Plusieurs centaines de ces réfugiés atteindront plus tard les rives de la baie des Chaleurs.

Le parc du souvenir acadien

Au début du siècle, un parc historique fut aménagé à l'endroit où s'élevait, en 1755, le village de Grand-Pré, qui ne fut jamais reconstruit. En 1920, une chapelle commémorative fut érigée sur le site de l'ancienne église de Saint-Charles-des-Mines. Il s'y trouve de nombreuses antiquités datant de l'époque de la Dispersion des Acadiens.

À proximité d'un nostalgique décor de saules pleureurs, s'élève un monument de bronze, celui d'Évangéline pleurant son pays perdu et jetant un dernier regard sur son Grand-Pré bien-aimé. C'est l'œuvre de deux descendants d'Acadiens, les sculpteurs Philippe Hébert et son fils Henri, originaires du Québec, dont les ancêtres déportés à Boston, en 1755, s'étaient établis à Saint-Grégoire-de-Nicolet, à la suite du traité de paix de 1763.

Avec des pierres recouvrées sur les lieux, provenant sans doute de l'ancienne église de Grand-Pré, incendiée à l'automne de 1755, fut érigée vers 1920 une imposante croix rustique, rappelant le souvenir des ancêtres disparus. Un certain nombre de ces pierres avaient aussi servi à la reconstruction du puits du village de Grand-Pré où, en des jours plus heureux, chaque famille allait puiser son eau. Il porte de nos jours le nom de puits d'Évangéline.

Il est impossible à celui ou à celle qui parcourt ces lieux si évocateurs, en méditant sur les tragiques événe-

Le monument d'*Évangéline* à Grand-Pré, œuvre des sculpteurs canadiens d'origine acadienne, Philippe Hébert et son fils Henri.

ments qui s'y sont déroulés en 1755, de ne pas ressentir une sensation d'indéfinissable mélancolie, sinon de profonde tristesse.

C'est dans une telle atmosphère de ferveur que s'étaient déroulées à Grand-Pré, le 15 août 1955, les inoubliables cérémonies qui avaient marqué le sommet des manifestations acadiennes tenues en de multiples localités de l'est du pays, en particulier, du 10 au 16 août 1955, à Moncton, au Nouveau-Brunswick.

Port-Royal (Annapolis-Royal), en Nouvelle-Écosse, célébrait aussi, en 1955, le 350e anniversaire de sa fondation, en présence du gouverneur général du Canada, Vincent Massey.

De grandioses manifestations

À Grand-Pré, sous un soleil radieux, la journée du 15 août 1955 avait été fort émouvante. Elle avait commencé par la célébration d'une messe pontificale par le délégué apostolique, entouré de nombreux archevêques et évêques dont le cardinal James-Charles McGuigan, archevêque de Toronto, né à Rustico, village acadien de l'Île-du-Prince-Édouard ; le cardinal Paul-Émile Léger, archevêque de Montréal, qui prononça un bien éloquent et touchant sermon ; Monseigneur Maurice Roy, archevêque de Québec et primat de l'Église canadienne, qui est devenu lui-même cardinal quelques années plus tard ; Monseigneur Norbert Robichaud, archevêque de Moncton et autres archevêques et évêques.

De nombreux dignitaires, des centaines de membres du clergé et une foule immense venue de tous les coins des Provinces Maritimes, du Québec, de la Louisiane et de la Nouvelle-Angleterre participaient à cette mémorable cérémonie.

Une délégation composée de plusieurs centaines de Louisianais s'était jointe aux délégations canadiennes dès le 10 août, à Moncton, au Nouveau-Brunswick. Partie de la Nouvelle-Orléans, le 6 août, elle avait visité les villes de Montréal et de Québec avant de se rendre à Moncton, Digby et Saint-Jean (Nouveau-Brunswick). Au retour, elle s'était arrêtée à Boston et New York, puis à Washington, où elle avait été reçue par le président des États-Unis qui avait tenu à rendre hommage aux déportés de 1755. Les descendants d'Acadiens sont de beaucoup plus nombreux de nos jours en sol américain, notamment en Louisiane, au Texas et dans les États de la Nouvelle-Angleterre, qu'en n'importe quelle autre région du monde.

L'après-midi du 15 août 1955 à Grand-Pré avait surtout été marqué par de nombreuses allocutions, dont celles des représentants de la France, des États-Unis, de la Grande-Bretagne, du Canada et du Québec.

La chapelle commémorative de Grand-Pré, érigée sur le site de l'ancienne église, incendiée à l'automne de 1755.

Tant à Moncton, durant les six jours qu'avaient duré les diverses manifestations commémoratives, qu'à Grand-Pré, de nombreux représentants de l'autorité civile avaient participé à ces célébrations du souvenir acadien.

Qu'il me suffise de mentionner, parmi les principaux, Henry D. Hicks, premier ministre de la Nouvelle-Écosse; John Flemming, premier ministre du Nouveau-Brunswick; Milton F. Gregg, député fédéral de York-Sunbury, en Nouvelle-Écosse, ministre du Travail dans le gouvernement Saint-Laurent et représentant du gouvernement canadien, de même que deux aimables compagnons: Jean Lesage, alors député fédéral de Montmagny-L'Islet et ministre du Nord canadien et des Ressources nationales, ainsi qu'Onésime Gagnon, ministre des Finances dans le gouvernement Duplessis et représentant officiel du Québec à ces commémorations acadiennes.

Jean Lesage, dont le ministère avait la gestion des parcs et des sites historiques, sous contrôle fédéral, était arrivé à Moncton par avion, directement d'Ottawa. De vieille souche libérale, il était le neveu du sénateur J.-A. Lesage, organisateur du Parti libéral pour le district de Québec.

Nous nous étions connus à la suite des élections générales, du 11 juin 1945, alors que tous deux nous avions été élus, pour la première fois, députés à la Chambre des communes, lui comme libéral, dans Montmagny-L'Islet, et moi-même comme indépendant, dans Bonaventure.

Bien que je me sois rallié au Parti libéral par la suite, il n'en reste pas moins que c'est surtout grâce à son influente intervention personnelle si les délégués libéraux du comté de Bonaventure avait appuyé l'ancien Conservateur que j'étais, comme leur candidat libéral officiel, aux élections générales suivantes, tenues en 1949.

C'est aussi le ministère dirigé par Jean Lesage, à Ottawa, d'où relevait la Commission canadienne des noms géographiques, qui avait accepté, à ma demande, de donner le nom de **Beaubassin**, au havre de Bonaventure ainsi qu'à la pointe sablonneuse formant le banc de Bonaventure, à l'occasion du deuxième centenaire de la Dispersion des Acadiens. La collaboration de la Commission géographique du Québec, dont le secrétaire était à l'époque Monsieur Nantais, fut facilement obtenue. Maurice Lamontagne, alors sous-ministre, devenu ministre et sénateur, m'avait transmis cette bonne nouvelle, par sa lettre datée du 19 novembre 1954.

C'est à l'intérieur de ce havre que les premiers réfugiés acadiens, qui se sont installés à Bonaventure en 1760, avaient dissimulé leurs embarcations.[1] Ils étaient originaires de Beaubassin, en Acadie. C'est sur ce banc de sable que fut construite la première chapelle, vers la même époque, par le père Carpentier, le premier missionnaire résident de la baie des Chaleurs. Le site de cette église est indiqué avec beaucoup de précision sur le plan de Bonaventure tracé en 1765 par l'arpenteur John Collins, avec l'approbation du gouverneur James Murray, dont nous publions la reproduction en appendice.

Un bon compagnon de voyage

Quant à Onésime Gagnon, de quinze ans mon aîné, nous nous étions revus fréquemment après la tenue du congrès de Sherbrooke, en 1933, où j'avais ouvertement appuyé sa candidature contre celle de Maurice Duplessis,

---

1. Voir en appendice, la reproduction du plan de Bonaventure, datant de 1765, que nous publions avec l'autorisation des Archives publiques du Canada, à Ottawa. L'original de ce plan historique, en couleurs, ayant une dimension de 2 pds. et demi par 3 pds. et demi, se trouve au Public Record Office, à Londres, Angleterre [référence 1802. Bonaventure 1765.-C.O. 700 Canada n° 24].

comme chef du Parti conservateur provincial, devenu par la suite l'Union Nationale.

Le décès accidentel, en 1941, de son ami intime et associé légal, Maurice Dupré, dont j'avais été l'homme de confiance, nous avait rapproché davantage. Maurice Dupré avait été propriétaire du *Journal* de Québec dont j'avais été pendant plusieurs années le directeur. Ma transition, en 1945, du Parti conservateur au Parti libéral n'avait en rien atténué l'amitié qu'Onésime Gagnon m'avait témoignée.

Pourtant respectueux de la plus stricte observance de la tradition conservatrice, il avait été député conservateur

Au cours de mon voyage en Louisiane en automne 1960, en compagnie d'Onésime Gagnon, à ma gauche, alors lieutenant-gouverneur du Québec; nous avions été invités au camp forestier du docteur Thomas J. Arceneaux, au centre, doyen de la faculté d'agriculture à l'université Southwestern de Lafayette, à une dégustation d'écrevisses qui étaient de saison.

à Ottawa, de 1930 à 1935, alors que son collègue, Maurice Dupré, était solliciteur général du Canada dans le gouvernement Bennett. Il avait lui-même été assermenté ministre fédéral, le 30 août 1935.

Au mois d'août 1955, nous avions décidé de faire le voyage d'Acadie ensemble, en compagnie de sa charmante épouse. Il était alors ministre des Finances dans le gouvernement de l'Union Nationale, à Québec, alors que j'étais député libéral à Ottawa. Quelques années plus tard, soit au mois de septembre 1960, nous ferons également ensemble la tournée de la Louisiane alors que nous étions devenus, lui, lieutenant-gouverneur du Québec, et

Lors d'une visite à la maison ancestrale des Arceneaux aux environs de Lafayette, en Louisiane, en 1955. De gauche à droite: le docteur Thomas J. Arceneaux, accompagné de Bona Arsenault ainsi que de son frère Alfred et de son épouse Carita.

moi, ministre des Terres et Forêts dans le gouvernement Lesage.

Or, à l'époque, il ne fallait surtout pas qu'il soit connu au Québec qu'un ministre des Finances de l'Union Nationale se promenât avec un député *rouge* d'Ottawa. C'est ainsi que lors du voyage à Moncton, Grand-Pré et autres endroits, en Acadie, en 1955, il fut entendu que Monsieur et Madame Gagnon prendrait le train de nuit à Lévis, en direction des Maritimes, jusqu'à Bathurst, où je les rejoindrais le lendemain matin en automobile, afin de poursuivre le voyage ensemble. Au retour, même stratagème. Après avoir effectué le trajet de Moncton à Bathurst, nous nous séparerions en cette ville, d'où Monsieur et Madame Gagnon prendraient le train du soir, à destination de Lévis et Québec.

Quant à notre randonnée en la lointaine Louisiane, en 1960, nous n'avons pas eu à nous entourer d'autant de précautions. Duplessis était disparu, l'Union nationale ne détenait plus le pouvoir et, en qualité de lieutenant-gouverneur, Onésime Gagnon n'était plus dans la politique active. D'ailleurs, c'est en avion que nous avions fait le voyage de Québec à la Nouvelle-Orléans, pour ensuite louer une voiture à frais partagés. Il est décédé l'année suivante, soit en septembre 1961.

Les célébrations de 1955 en Louisiane

Les manifestations commémoratives organisées en Louisiane à l'occasion du deuxième centenaire à l'expulsion des Acadiens de leur patrie furent non moins élaborées que celles qui avaient eu lieu en cette même année 1955 en Acadie du nord et les provinces canadiennes de l'Atlantique.

Dès le début de l'année 1955, soit du 9 au 23 janvier, le *Conseil de la Vie française en Amérique* dont le siège

Le Dr Thomas J. Arceneaux, doyen de la faculté d'agriculture à l'université Southwestern de Lafayette, membre du *Conseil de la Vie française en Amérique* et président de l'organisation des célébrations du deuxième centenaire de la Dispersion, en Louisiane en 1955, accompagné de Bona Arsenault, délégué du *Conseil de la Vie française*, et d'Antoine Arceneaux, frère jumeau du docteur Arceneaux.

social est à Québec, dirigeait vers la Louisiane une importante délégation composée de quelque 150 Acadiens des provinces de l'Atlantique et de Canadiens français du Québec, qui furent reçus avec enthousiasme à Baton Rouge, Alexandria, Pont-Breaux, Ville-Platte, Opelousas, Lafayette, Saint-Martinville, Abbéville, Nouvelle-Ibérie et autres localités. L'une de mes filles, Marcelle, faisait également partie de ce voyage.

L'apogée des célébrations du deuxième centenaire de la Dispersion des Acadiens, en Louisiane, n'avait eu lieu qu'à l'automne de 1955, plus précisément, du 15 au 31

Prototype de maisons que les premiers réfugiés acadiens bâtissaient en Louisiane. De l'extérieur, un escalier menait au grenier qui servait de chambre à coucher aux garçons. En raison de la douceur du climat, il n'existait pas de système de chauffage. Pendant les grandes chaleurs de l'été, la cuisson des aliments se faisait à l'extérieur dans un abri sommaire.

octobre, à Saint-Martinville, situé à peu de distance de Lafayette. Le Dr Thomas J. Arceneaux[2], doyen de la faculté d'agriculture à l'université Southwestern de Lafayette, était le président et directeur général de ces manifestations.

C'est à ces spectaculaires cérémonies civiles et religieuses que, sur la recommandation de Monseigneur Paul-Émile Gosselin, j'avais officiellement représenté le

2. Dans les recensements et registres d'Acadie ce nom est orthographié de diverses façons. Au recensement de 1686 on écrivait *Arsenault* et en 1746 à la Pointe Beauséjour, à Beaubassin, en Acadie, où vivait l'ancêtre du Dr Thomas Arceneaux, on inscrivait aux registres *Arceneaux*, forme qui fut retenue chez nos cousins de la Louisiane, alors qu'au Canada on écrira surtout: *Arsenault*, *Arseneau* et *Arseneault*.

Bona Arsenault, près de la cathédrale de Lafayette en Louisiane, en 1955.

Conseil de la Vie française en Amérique, dont il était le secrétaire général.

C'était mon premier voyage en Louisiane. J'en ai conservé un bien émouvant souvenir. Depuis cette lointaine époque, j'ai visité nos cousins louisianais très souvent, presqu'à chaque année, et parfois deux et même trois fois au cours d'une même année. J'ai parcouru cette région en tous sens du sud au nord et de l'est à l'ouest. Je connais peut-être mieux la Louisiane que le Québec et j'y suis sans doute aussi connu qu'au Québec, grâce à mes œuvres historiques et généalogiques, qui comptent là-bas un si grand nombre de lecteurs et de lectrices. En quelque sorte, la Louisiane, ce pays si merveilleux, est devenu pour moi une seconde patrie.

Les descendants d'Acadiens en Louisiane

Des Acadiens déportés dans les colonies anglo-américaines du sud, notamment au Maryland, aux Carolines et en Géorgie, avaient réussi à se rendre en Louisiane dès 1756. Ils auraient pu atteindre le fleuve Mississippi en suivant certains confluents de ce grand cours d'eau.

Puis, à la suite de la signature du traité de paix en 1763, des centaines de familles de réfugiés acadiens déportées en Nouvelle-Angleterre s'étaient dirigées vers les Antilles, en particulier à Saint-Domingue et à la Martinique, où le gouvernement français avait décidé d'assurer leurs subsistances pendant un an. Le climat tropical des Antilles ne leur ayant pas convenu, plus de 4 000 d'entre eux se portèrent vers la Louisiane, où ils purent souvent rejoindre des parents et amis déjà rendus.

Enfin, de 1777 à 1788, on estime à plus de 3 000 Acadiens, réfugiés en France à la suite de la Dispersion, qui se dirigèrent vers la Louisiane avec les membres de leurs familles. Le plus grand nombre arriva à la Nouvelle-Orléans au cours de l'année 1785. Tous ces réfugiés acadiens furent établis le long du Mississippi, à Saint-

Jacques, à l'Ascension (Donaldsonville) et à Saint-Gabriel (près de Baton Rouge); ainsi que dans les régions des Attakapas et des Opelousas, dans le sud-ouest du territoire, de même que sur le littoral du golfe du Mexique, dans le sud du pays.

De nos jours, leurs descendants sont au nombre de plus d'un million, soit approximativement le tiers de la population totale de cet État américain. Ils sont répartis dans les nombreuses localités couvrant toute la région du Sud-Ouest de la Louisiane. Ce vaste territoire s'étend du fleuve Mississippi, à l'est, à la frontière du Texas, à l'ouest: ainsi que des rives du golfe du Mexique, au sud: à la hauteur d'Alexandrie, vers le nord. C'est la région la plus riche en ressources naturelles de la Louisiane et celle bénéficiant du plus beau climat.

À Lafayette en 1978. De gauche à droite: madame James Domengeaux, née Éléanore Saint-Julien; moi-même; mon épouse, Lisette Fortier; James Domengeaux, président du *Conseil pour le Développement du français en Louisiane*.

Des visiteurs peu informés de l'histoire du pays, ou pressés, qui se sont parfois contentés d'arrêter à la Nouvelle-Orléans et à Baton Rouge, ont acquis l'impression que la langue française n'était plus d'usage courant dans cette région des États-Unis. Celui ou celle qui limiterait son voyage aux villes de Saint-Jean et de Frédéricton, en allant visiter les Acadiens du Nouveau-Brunswick, rencontrerait également peu d'Acadiens parlant le français. C'est ailleurs, au Nouveau-Brunswick, où il faut aller pour les rencontrer. Il en est de même pour la Louisiane.

Ce n'est ni à la Nouvelle-Orléans, ni à Baton Rouge, où se trouve l'habitat traditionnel des descendants d'Acadiens de la Louisiane. Pour les rencontrer, il faut se rendre dans leur propre pays, le Sud-Ouest de l'État, dont Lafayette, avec son université et sa *Maison Acadienne-Française*, est devenu le centre culturel. C'est également à Lafayette où se trouve le siège du *Conseil pour le Développement du français en Louisiane* (CODOFIL) établi il y a une quinzaine d'années par une loi de l'État sous l'administration du gouverneur John J. McKeithen.

James Domengeaux, descendant d'Acadiens par sa mère, dont le nom de famille est d'origine française, est l'habile président de cet important organisme, depuis sa fondation. Philippe Gustin, d'origine belge, l'époux d'une Louisianaise, Marie-Anne Lafleur, en est l'indispensable directeur depuis plusieurs années. Tous deux sont mes excellents amis avec lesquels j'ai souvent eu l'occasion de collaborer.

Ainsi, depuis 1981, des émissions portant sur l'histoire et la généalogie des Acadiens, que j'ai enregistrées en français en compagnie de l'animateur Yvon Chouinard, devenu depuis le président et directeur général du poste de télévision C.H.A.U., de Carleton, en Gaspésie, ont été télévisées sur cinq postes de l'État de la Louisiane. D'une durée de trente minutes chacune, ces séquences ont été au programme des postes de télévision W.L.P.B., de

Baton Rouge; K.L.P.B., de Lafayette; K.L.T.L., de Lac Charles; K.L.T.M., de Monroe; et K.L.T.S., de Shreveport, tous les dimanches, à onze heures de l'avant-midi, pendant plusieurs années.

Ces enregistrements avaient déjà été télévisés dans l'est du Québec et les Provinces Maritimes, par le poste

À Baton Rouge en Louisiane, en 1962. J'étais nommé *Roi des Acadiens*, en compagnie de la *Reine*, madame Ruth Mouton Hamilton de Lafayette, épouse du docteur Charles Hamilton. Derrière nous, le contrôleur de l'État de Louisiane, Roy Thériot, lut la proclamation et apposa les couronnes.

C.H.A.U., de Carleton, et celui de Radio-Canada, à Moncton, au Nouveau-Brunswick, au cours des années 1979 et 1980.

Il faut tout de même qu'il se trouve, en Louisiane, un auditoire considérable de langue française, pour que la télévision de l'État, de même que CODOFIL, s'y intéressent dans une telle mesure.

C'est d'ailleurs en Louisiane où la vente de toutes mes éditions d'histoire et de généalogie des Acadiens a toujours connu le plus de succès.

En Louisiane l'enseignement du français est dispensé comme langue seconde dans toutes les écoles où les parents le jugent à propos, avec l'encouragement de l'État et

En 1960, peu de temps après mon assermentation comme ministre dans le gouvernement Lesage, je recevais sur le parquet de l'Assemblée nationale du Québec une nombreuse délégation de la Louisiane, composée surtout d'étudiants et d'étudiantes.

le stimulant de CODOFIL. Il est également en honneur chez les professeurs de langues étrangères des principales universités dont Southwestern (USL) à Lafayette ; Louisiana State University (LSU) à Baton Rouge; les deux universités Tulane et Loyola de la Nouvelle-Orléans et Nicholl's State à Thibodeaux.

Les Louisianais d'origine française, notamment ceux de descendance acadienne, sont particulièrement fiers de leur origine et de l'extraordinaire pays qu'ils ont hérité de leurs ancêtres.

Le gouverneur Massey dans Bonaventure

Les 30 et 31 août 1956, le gouverneur général du Canada, Son Excellence Vincent Massey, rendait visite au comté de Bonaventure. L'événement revêtait d'autant plus d'importance que c'était la première fois, depuis plus d'un demi-siècle, qu'un gouverneur général du pays séjournait en Gaspésie.

En qualité de député fédéral du comté, j'ai été chargé de le recevoir à son arrivée à New-Carlisle. J'étais accompagné de mon ami, Gérard D. Lévesque, qui, le 20 juin de la même année, venait de se faire élire député provincial de Bonaventure.

Durant son séjour dans le comté, le gouverneur Massey demeura à Stanley House à New-Richmond, où tous les principaux notables de la région avaient été invités à le rencontrer lors d'une réception qui avait eu lieu dans cette demeure historique le soir même de son arrivée.

En effet, c'est lord Stanley of Preston, gouverneur du Canada, de 1888 à 1893, qui avait fait construire ce vaste domaine de Stanley House sur les rives accueillantes de la baie des Chaleurs à New-Richmond. Il y passait régulièrement des vacances d'été à pratiquer son sport favori, la pêche au saumon, sur les eaux de la rivière

Grande-Cascapédia, située à proximité. C'est l'une des rivières à saumon les plus prolifiques au monde.

Le parc boisé où fut érigée cette spacieuse résidence rappelle étrangement les abords de l'ancien Spencer Wood, devenu le Bois de Coulonge qui fut, pendant de nombreuses années, la demeure officielle des lieutenants-gouverneurs du Québec.

Depuis l'époque de la Confédération, en 1867, tous les gouverneurs généraux du Canada, représentant la reine ou le roi en notre pays, nous étaient venus d'Angleterre, tel le vicomte Alexander of Tunis, qui avait été nommé à cette haute fonction en 1946.

Mais, au cours de son terme d'office, Louis Saint-Laurent, alors premier ministre du Canada, avait recom-

Le 30 août 1956, accompagné de Gérard D. Lévesque, député provincial du comté, je recevais Son Excellence Vincent Massey, gouverneur général du Canada, à son arrivée à New-Carlisle pour une visite du comté de Bonaventure. On voit ici Son Excellence me serrer la main. Immédiatement à ma droite se trouvent le secrétaire du gouverneur, Esmond Butler, et Gérard D. Lévesque.

mandé à la Souveraine la nomination d'un citoyen canadien comme l'éventuel successeur du comte Alexander. Le choix s'était alors porté sur Vincent Massey, qui avait été nommé gouverneur général du Canada, en 1952.

Très affable, c'était un lettré possédant le pragmatisme de l'administrateur et la finesse du diplomate. Il était d'une grande distinction et commandait le respect de toute la population.

En 1959, lorsque se terminera le mandat du gouverneur Massey, John Diefenbaker, alors premier ministre, suivant l'exemple de Louis Saint-Laurent, recommandera à la reine la nomination d'un autre Canadien comme son successeur à ce poste éminent. Cette fois ce sera un Canadien de langue française, en la personne du major général Georges Vanier, qui accédera à la haute fonction de gouverneur général du Canada.

Le principe de l'alternance, entre Canadiens de langue anglaise et ceux de langue française, comme représentants de la reine au pays, était ainsi appliqué pour la première fois. Ce principe fut respecté depuis.

Au cours du voyage du gouverneur Massey, dans Bonaventure, en 1956, je m'étais lié d'amitié avec son secrétaire particulier, Esmond Butler, alors âgé de 34 ans. Né à Wawanesa, au Manitoba, en 1922, il avait étudié à l'université de Toronto ainsi qu'à l'Institut des Études internationales de Genève en Suisse, où il avait obtenu sa licence en sciences politiques. Nommé assistant du secrétaire de presse de la reine, au palais de Buckingham en 1958, l'année suivante il remplissait les fonctions de secrétaire de presse de la Souveraine, lors de sa tournée royale au pays.

Vingt-cinq ans plus tard, soit le 21 octobre 1981, je rencontrais de nouveau Esmond Butler. Cette fois c'était chez le gouverneur général Schreyer à Ottawa, lors de la cérémonie d'investiture des membres de l'Ordre du Canada, à laquelle j'avais été convié. Chef du cabinet du gouverneur général, secrétaire général de l'Ordre du Canada et de l'Ordre du Mérite militaire, c'est Esmond lui-même qui a lu en un excellent français ma propre citation à la distinction convoitée de l'Ordre du Canada.

Au cours de la réception qui a suivi la cérémonie d'investiture, nous avons évoqué ensemble les souvenirs de cet heureux voyage du gouverneur Massey et des membres de son groupe dans Bonaventure. Il a tenu à rappeler que c'est au cours de l'excursion de pêche à laquelle il avait participé sur la rivière Grande-Cascapédia, qu'il avait capturé le premier saumon de sa vie. Il avait été tellement fier de cet exploit qu'il ne l'avait jamais oublié.

Au Japon à l'automne de 1956

Clarence D. Howe, ministre canadien du Commerce, en 1956, était l'homme fort du gouvernement Saint-Laurent. Il avait été, à plusieurs reprises, premier ministre suppléant en l'absence de Monsieur Saint-Laurent, dont il était d'ailleurs l'un des principaux conseillers.

Né à Waltham au Massachussetts, États-Unis, en 1886, de parents américains, Monsieur Howe avait émigré au Canada en 1908, alors qu'il avait enseigné le génie civil jusqu'en 1913 à l'université Dalhousie à Halifax en Nouvelle-Écosse.

De 1913 à 1916, il avait occupé le poste d'ingénieur en chef de la Commission canadienne des grains à Fort William (devenu Thunder Bay) en Ontario. De 1916 à 1935, il avait dirigé sa propre firme d'ingénieurs-conseils, établie à Port-Arthur (fusionné avec Thunder Bay).

Il était déjà millionnaire lorsqu'en 1935 il se fit élire député fédéral du comté de Port-Arthur, en Ontario. MacKenzie King, alors premier ministre, l'avait nommé ministre des Chemins de fer, des Canaux et de la Marine, dont le nom fut bientôt transformé en celui de ministère des Transports.

Réélu à toutes les élections générales tenues au pays de 1940 à 1953, il avait été nommé ministre des Munitions et Approvisionnements en 1940, soit au cours de la Seconde Guerre; ministre de la Reconstruction en 1944; ministre de la Reconstruction et des Approvisionnements en 1946; ministre du Commerce en 1948 et de la Production de Défense en 1951, deux postes qu'il détenait encore en 1956.

À l'automne de 1956, à titre de ministre du Commerce du gouvernement canadien, Clarence-D. Howe décidait de faire une visite officielle au Japon, avec l'un de ses sous-ministres, Mitchell W. Sharp.

Au dîner de la *Société Canada-Japon* à l'hôtel Impérial de Tôkyô, le vendredi 26 octobre 1956, en l'honneur du ministre Howe. De gauche à droite: Son Excellence Iyemasa Kugawa, ancien ambassadeur du Japon au Canada; Bona Arsenault, député canadien; le prince Togugawa, président de la *Société Canada-Japon*; le T.H. C.-D. Howe, ministre canadien du Commerce; Y. Itch, président du *Conseil du Commerce Canada-Japon* et Son Excellence T.-C. Davis, ambassadeur du Canada à Tôkyô.

Or, à la même époque j'étais moi-même désireux de me rendre au Japon pour aller visiter ma fille, Pauline, que je n'avais pas revue depuis son départ, en 1953, pour les missions de la communauté dont elle faisait partie, soit les religieuses de la Présentation de Marie, de Saint-Hyacinthe.

Le ministre Howe accepta aimablement que je fasse le voyage en sa compagnie et me proposa de me faire inviter à plusieurs des réceptions officielles auxquelles il participerait.

Avant mon départ, l'ambassadeur du Japon au Canada, le Dr Koto Matsudaira, avait bien voulu m'inviter à un déjeuner intime à l'ambassade japonaise à Ottawa. C'était le 11 octobre 1956. Assistaient à cette cordiale réception: Messieurs R.-E. Rattie, du ministère des Affaires extérieures, qui arrivait d'un séjour de trois ans à l'ambassade du Canada à Tôkyô; N.-R. Cavell, du ministère du Commerce; Camille L'Heureux, rédacteur en chef du journal *Le Droit* d'Ottawa; Jean Grand-Landeau, de *France-Presse*; Austin Cross, du *Citizen* d'Ottawa et autres invités.

À cette occasion, l'ambassadeur du Japon m'avait remis des lettres de créances auprès de plusieurs personnalités japonaises que je devais rencontrer, dont Monsieur Masutani, le président de la Diète (Chambre des représentants).

Avant d'entreprendre ce lointain voyage, j'avais aussi obtenu des entrevues du cardinal Paul-Émile Léger qui avait été missionnaire chez les Sulpiciens de Fukuoka, durant cinq ans; de Monseigneur Lemieux, archevêque d'Ottawa, ancien évêque missionnaire du diocèse japonais de Sandai; ainsi que de Monseigneur Maurice Roy, futur cardinal qui, en 1953, avait visité toutes les missions canadiennes établies au Japon.

L'arrivée à Tôkyô

Une vingtaine d'heures de vol, dans un des géants des airs de l'époque, séparaient le Canada du Japon.

Avec Vancouver comme point de départ et à la suite de deux escales en route, dont l'une à Anchorage, en Alaska, et l'autre dans l'île minuscule de Shemya, aux Aléoutiennes, nous venions de franchir les quelque cinq mille milles de distance séparant Vancouver de Tôkyô.

Ayant quitté Montréal le vendredi 19 octobre, après une pause de deux jours à Vancouver, nous étions repartis en direction du Japon, le dimanche au soir, 21 octobre 1956. En raison de vents contraires, ce n'est qu'après une interminable nuit qui dura une vingtaine d'heures que nous avions enfin vu poindre les côtes du Japon. Comme il existe un écart de quatorze heures, entre Québec et Tôkyô, d'après le fuseau horaire, nous avions perdu la journée de lundi, en cours de route. Car, nous étions déjà rendus à mardi. Pour le voyage de retour, ce fut le contraire. Partis de Tôkyô un mercredi soir à six heures grâce à des vents favorables, nous sommes arrivés à Vancouver également le mercredi soir, heure du Canada, vers sept heures. Ces étranges phénomènes ne s'oublient pas facilement.

En survolant le littoral du Japon sur une distance de quelques centaines de milles avant d'atteindre Tôkyô, nous apercevions d'innombrables quadrilatères de minuscules terrains, s'avançant souvent sur les flancs des montagnes, à la façon d'un damier. Quel saisissant contraste avec le spectacle de l'immensité des plaines de l'Ouest canadien, qui m'était resté gravé à l'esprit, depuis l'envolée de Montréal à Vancouver, par une température magnifique.

Alors qu'au Canada les espaces sont sans limite, le Japon, avec une population de plus de cent millions d'habitants doit se tirer d'affaire dans son archipel, dont la superficie couvrirait à peine le quart du territoire du Québec. De plus, moins de seize pour cent de son sol est constitué de terre arable.

À Himeji, en novembre 1956. Parfois j'endossais le *kimono* et l'*obi*.

Déjà, nous voyons dans le lointain la cime altière du majestueux mont Fuji. Spectacle vraiment saisissant, que la vue de ce volcan conique, le plus élevé et le plus célèbre des monts du Japon. Sa dernière éruption volcanique date de 1708.

Nous survolons bientôt Tôkyô qui, avec ses quelque neuf millions d'habitants, est l'une des plus grandes métropoles du monde moderne. Tôkyô, ville immense, le point de rencontre des deux civilisations orientale et occidentale, et le point de départ des activités missionnaires en Extrême-Orient.

Au centre de cette grandiose agglomération, le palais impérial et ses dépendances, avec ses parcs, ses jardins, ses remparts, ses postes de garde, tranche nettement sur le paysage. Demeure de l'empereur Hiro-Hito, c'est là où bat le cœur de cette métropole qui, depuis 1868, a remplacé Kyôto comme capitale de l'empire nippon.

Puis, nous atterrissons à Haneda, l'aéroport international de Tôkyô, où plusieurs dignitaires japonais étaient venus à la rencontre du ministre canadien, C.-D. Howe. Au Japon, il était cinq heures et trente du matin, le 23 octobre 1956.

Réceptions et tournée du Japon

Au cours de son séjour à Tôkyô, C.-D. Howe logeait à l'ambassade du Canada où il donnait ses conférences de presse et où il recevait de nombreux dignitaires du monde de la diplomatie, de la politique et des affaires.

Durant les premiers jours de son voyage, il avait consacré une bonne partie de son temps aux visites protocolaires.

C'est ainsi qu'il rencontra le prince Togugawa, président de la Société Canada-Japon; qu'il se rendit saluer le premier ministre suppléant et ministre des Affaires étrangères, Shigemitsu, en l'absence du premier ministre Hatoyama, qui était alors en voyage à Moscou; et qu'il fut reçu en audience par l'empereur Hiro-Hito au palais impérial.

Au couvent des religieuses de la Présentation de Marie à Himeji, en automne 1956, en compagnie de ma fille aînée, Pauline, dont le nom de profession religieuse était sœur Claire du Saint-Esprit.

Entre-temps, il participait aux nombreuses réceptions organisées en son honneur où il rencontrait des chefs d'entreprise, des importateurs de blé, de produits alimentaires, de produits forestiers et autres.

Puis, au cours de la deuxième partie de son périple, le ministre Howe avait fait la tournée des principaux centres industriels et sites historiques du pays.

Il était allé d'abord à Nikkô, situé à une centaine de milles au nord de Tôkyô, où se trouve le célèbre sanctuaire de Tôshôgû. Se rendant ensuite par avion à

Au jardin d'Enfance des religieuses de la Présentation de Marie d'Abeno à Ôsaka. De gauche à droite: sœur Marie de Sion, une compagne canadienne de ma fille Pauline; Jean Poirier, de Matapédia, qui effectuait un voyage au Japon à la même époque; le père Vincent Pouliot, de la maison des Dominicains à Ôsaka, frère du mathématicien québécois bien connu, Adrien Pouliot; moi-même et ma fille Pauline.

Lors d'une séance de travail, en 1961, avec Jean Lesage.

Osaka, dans le sud du Japon, il avait visité les industries textiles de Kanebo, puis, à Amagasaki, les installations métallurgiques et les acieries Suritono. Il s'était ensuite dirigé vers les grands chantiers maritimes de Kôbe. À chacun de ces endroits, le ministre Howe avait passé une journée entière en compagnie de spécialistes japonais.

Il avait terminé cette tournée par la visite des deux célèbres villes de Nara et de Kyôto, mémorables surtout pour leurs sanctuaires et leurs temples bouddhistes et shintoïstes. Rappelons que Kyôto, pendant onze siècles jusqu'en 1868, avait été la capitale de l'empire nippon.

Le mardi, 6 novembre 1956, à la veille de son retour au Canada, le ministre Howe avait été l'hôte d'honneur à une réception d'adieu, à laquelle j'avais assisté, qui avait eut lieu dans les jardins du palais impérial, en présence de l'empereur Hiro-Hito et des membres de sa famille.

À Tôkyô, où j'avais passé les premiers jours de mon voyage, j'avais pu converser avec plusieurs dignitaires japonais présents aux réceptions auxquelles j'avais été invité à participer.

Je m'étais rendu compte que de nombreuses personnalités japonaises pouvaient s'exprimer en un excellent français. Plusieurs étudiants japonais, parmi les plus fortunés, font des stages d'étude en France. Il existe même un organisme à Tôkyô, l'Institut Franco-Japonais, qui, à l'époque, organisait en France des cours de spécialisation pour l'enseignement du français en étroite collaboration avec l'École Normale Supérieure de Saint-Cloud.

Quelques jours après mon arrivée à Tôkyô, j'avais été invité à assister à un dîner de la Société Canada-Japon, dont le prince Togugawa était le président. Sans que je le sache à l'avance, on avait placé à côté de moi à table un Japonais connaissant le français. J'engage d'abord la conversation en m'adressant à lui en anglais.

Mais voilà que tout à coup à ma grande surprise, il me dit en un excellent français: «Vous êtes du Québec, puis-je vous poser une question? Vous connaissez sans doute la Gaspésie? Quel est le nom du propriétaire de l'hôtel du *Pic de l'Aurore* à Percé? Il est l'un de mes bons amis, mais j'oublie malheureusement son nom...» Pourtant, je ne rêvais pas, j'étais bien à Tôkyô, situé à quelque dix mille milles de la Gaspésie.

Premier plan, de gauche à droite: sœur Marie de Saint-Théodule, supérieure de Pauline pendant plus de quinze ans à la maison des religieuses de la Présentation de Marie à Himeji et sœur Marie de Sion. Debout: ma fille Pauline et moi-même.

Il m'avait expliqué qu'il avait été ambassadeur du Japon au Canada, avant la Seconde Guerre, avec résidence à Ottawa. Comme il s'ennuyait souvent des montagnes et de la mer de son pays, il se rendait parfois à Percé en Gaspésie, au cours des mois d'été, où il logeait ordinairement au *Pic de l'Aurore*, propriété, à l'époque, de mon ami Alphonse Guité. C'était Son Excellence Iyemasa Kugawa, nommé ministre plénipotentiaire et ambassadeur du Japon au Canada en 1929.

Mais il n'en reste pas moins que la langue étrangère la plus répandue au Japon est l'anglais qui est enseigné dans la plupart des cours secondaires. Il existe un grand nombre de Japonais, surtout au sein de la jeune génération, qui pouvant lire et écrire l'anglais ne peuvent cependant pas le parler. De sorte qu'au Japon, une personne connaissant l'anglais, mais ignorant les rudiments de la langue japonaise, peut quand même se faire comprendre par la plupart des jeunes d'âge scolaire, parfois des adultes, en écrivant en anglais sur un bout de papier.

L'ambassade du Canada à Tôkyô, où je suis allé à diverses reprises, occupait une vaste et luxueuse résidence. Dans sa grande salle à dîner se trouvait une immense table, pouvant avoir une quarantaine de pieds de longueur, construite en ébène noir foncé. C'est l'ambassadeur Thomas-Clayton Davis qui en avait fait cadeau à l'ambassade, à son arrivée au Japon. Cette table vraiment extraordinaire lui avait coûté vingt-cinq mille dollars.

En compagnie de ma fille, Pauline

Mon principal objectif, en me rendant au Japon, était de passer le plus de temps possible en compagnie de ma fille Pauline, religieuse dans la congrégation de la Présentation de Marie, sous le nom de sœur Claire du Saint-Esprit.

Au cours de mon voyage au Japon en automne 1956, j'ai rencontré Mgr Paul Taguchi, évêque du diocèse d'Ôsaka. De gauche à droite: le père Joseph Spae, missionnaire belge et directeur de l'Apostolat au Japon; Mgr Taguchi; moi-même et ma fille, Pauline, missionnaire au Japon dans la congrégation de la Présentation de Marie de 1953 à 1971, année de son décès à Himeji.

Cette communauté dirigeait le jardin d'Enfance d'Abéno, à Ôsaka, situé à trois cents milles au sud de Tôkyô, ainsi qu'un collège d'enseignement secondaire pour jeunes filles à Himeji, à une soixantaine de milles à l'est d'Ôsaka.

Lorsque Pauline était arrivée au Japon, en 1953, on lui avait assigné un poste à la maison d'Ôsaka, lui permettant la poursuite de l'étude intensive de la langue japonaise.

À Himeji en novembre 1956, fraternisant avec les membres d'une famille japonaise.

Trois ans plus tard, soit en 1956, elle enseignait le français et le piano à l'établissement de sa communauté à Himeji, d'où elle était venue me rencontrer à Tôkyô. Elle parlait la langue japonaise et l'écrivait avec beaucoup de facilité. Professant la plus grande admiration pour la culture, la mentalité et la tradition japonaises, le Japon était devenu sa seconde patrie.

Comme elle avait déjà parcouru le pays en tous sens, je n'aurais su trouver meilleur guide pour me diriger, comme par la main, dans tous les coins mystérieux de ses grandes villes historiques souvent millénaires, telles que Hakone, aux pieds du célèbre mont Fuji; Nagoya, Nara, Kyôto, l'ancienne capitale; Sakai, Kôbe et en particulier les villes d'Ôsaka et d'Himeji, où j'ai séjourné pendant plus d'une semaine.

Au Japon, les trains transportent les voyageurs à une très grande vitesse et se suivent presque aussi rapidement que les départs d'avions à Dorval ou à Mirabel. N'oublions pas que les cent millions de Japonais ont la réputation d'être les plus grands voyageurs au monde. De plus, dans ce pays, les quais des gares de chemin de fer regorgent de bibelots attrayants, mis en vente pour l'agrément des voyageurs.

Or, un bon matin, nous avions décidé, Pauline et moi, de nous rendre par train d'Ôsaka à Himeji, où j'avais mon pied-à-terre. En cours de route, j'ai profité d'un bref arrêt du convoi à une gare intermédiaire pour descendre du wagon et aller acheter quelques souvenirs. Quelques minutes plus tard, le train démarrait comme un éclair, me laissant seul sur le quai de la gare au milieu d'inconnus dont je ne connaissais pas la langue avec mes bibelots et mon dictionnaire japonais. Que faire!

En moins d'un quart d'heure, un Japonais en uniforme, s'exprimant en anglais, m'interpelle par mon nom pour dire qu'il avait été envoyé à ma rescousse par ses supérieurs de la société ferroviaire. Il m'informa de plus qu'un siège était retenu à mon nom sur le prochain train se dirigeant vers Himeji, où Pauline m'attendait. Il avait reçu instruction de rester en ma compagnie jusqu'à l'arrivée de ce nouveau train, soit une quinzaine de minutes plus tard. Il a catégoriquement refusé le pourboire que je lui avais évidemment offert. Voilà un Japonais que je n'ai jamais oublié, sauf son nom.

Que s'était-il donc passé? En réalisant ce qui venait de m'arriver, ma fille avait alerté le conducteur du train dans lequel je voyageais avec elle. Il en avait immédiatement informé par radiotéléphone ses supérieurs qui, avec une ingéniosité bien japonaise, avaient organisé avec célérité ce sauvetage improvisé.

La réalisation d'une performance de même nature de la part de préposés aux chemins de fer en pays occidental, voire même au Canada, serait-elle possible? J'en ai toujours douté.

Pauline était l'aînée de ses frères et sœurs: Jean, Marcelle, Réal, Lise, Julien, Lyna et Pierre[3]. Elle avait étudié chez les religieuses de la Présentation de Marie à Saint-Hyacinthe. Par la suite, elle avait suivi des cours de spécialisation, dans des universités de France, dont la Sorbonne.

Elle faisait sa profession religieuse chez les sœurs de la Présentation de Marie, à Saint-Hyacinthe, le 2 février 1950, et partait en mission pour le Japon, le 4 octobre 1953, le jour de mon cinquantième anniversaire de naissance.

Au cours des dix-huit années qu'elle avait passées au Japon, Pauline avait fait deux visites au Canada. Une première fois en octobre 1964, alors qu'elle était demeurée assez longtemps pour passer le période des fêtes avec nous. Puis à l'occasion du centenaire de la Confédération et de l'Expo, tenu à Montréal, en 1967.

Sa mère s'était rendue lui rendre visite au Japon en 1968 et son frère Jean, l'aîné de mes fils, en 1969. J'y suis moi-même retourné comme membre de la délégation du Québec à l'Expo d'Ôsaka, en 1970. C'est alors que j'ai revu Pauline, pour la dernière fois de ma vie, à l'hôpital d'Himeji.

J'étais profondément attaché à elle. Elle m'écrivait souvent, ainsi qu'aux autres membres de la famille, d'ailleurs. J'ai conservé toutes les lettres qu'elle m'a écrites depuis son enfance. Un jour, l'une de ses lettres en provenance du Japon m'annonçait une terrible nouvelle. Elle était datée d'Himeji, du 22 mai 1969. J'en cite l'essentiel:

3. Voir *Les Registres de Bonaventure 1900-1960*, par le même auteur.

Pauline m'accompagnant, lors d'un voyage aux Îles-de-la-Madeleine en 1938. C'était l'époque du début de ses études chez les religieuses de la Présentation de Marie de Saint-Hyacinthe. Elle avait onze ans, j'en avais trente-cinq.

Mon cher papa,

C'est naturellement à vous d'abord que je veux raconter ce qui m'arrive. Je vous adresse cette lettre à votre bureau du Parlement. Autrement, maman pourrait la lire et son cœur ne peut probablement pas porter la nouvelle.

Je suis de nouveau à l'hôpital, assez sérieusement malade pour que ma Supérieure m'ait offert de retourner au Canada, si je le désirais... J'ai beaucoup réfléchi et discuté avec elle. J'ai vécu toute ma vie religieuse ici, mes amis, mes relations, ma vie est ici ; et l'on me gâte beaucoup...

Ma maladie, les os... on ne m'a pas dit le nom, mais d'après les visages qui me regardent, je sens que c'est incurable. Donc je suis résignée à n'importe quelle issue, n'importe quand... Malgré tout, ma grande peine c'est la perspective de ne plus revoir la famille..., je vous remets tout entre les mains.

À maman, quoi dire ? Comment dire ? Pour moi je n'ai pas le courage d'écrire... ça aussi, je m'en remets à vous. Pour le moment je ne ressens pas trop de douleurs... Paraît-il que peu à peu je vais ankyloser.

Au revoir, papa. Je m'excuse d'arriver avec du si peu intéressant, mais c'est la vie... et je suis étonnée moi-même d'être en forme moralement.

Je vous tiendrai au courant du développement de la maladie...

Au revoir, j'attends un mot. Bons baisers.

Pauline

Le choc avait été foudroyant. Je ne pouvais pas, je ne voulais pas croire à un malheur pareil. Puis, une vingtaine de mois plus tard, soit le 21 janvier 1971, à l'hôpital de Nebuno à Himeji, au Japon, c'était la fin. Pauline était décédée d'un cancer généralisé.

Ce fut la plus grande épreuve que j'ai eu à subir dans ma vie.

C'était aussi le premier deuil qui frappait notre famille. Le deuxième viendrait l'année suivante, le 24 mars 1972, avec le décès de sa mère, que la disparition de Pauline avait si douloureusement affectée.

Plus de vingt mois de maladie, de souffrance, de réclusion, d'hospitalisation avaient servi à Pauline, elle qui avait été si débordante d'énergie, à préparer sa Rencontre avec le Père. Elle avait expressément demandé à son entourage que l'hymne *Plus près de toi mon Dieu* soit chanté à ses obsèques. Son vœu fut accompli de touchante façon par ses anciennes élèves japonaises, membres de la chorale qu'elle avait longtemps dirigée en touchant l'orgue de la chapelle de sa communauté, à Himeji.

Elle s'était adaptée d'exceptionnelle façon à l'âme orientale. Elle était vraiment chez elle dans ce pays de rizières, de volcans, de lacs mystiques, de fleurs et de soleil qu'est le Japon. Elle avait choisi d'y mourir.

En 1965, Pauline avait publié une magnifique plaquette de poèmes d'inspiration japonaise qu'elle avait intitulée *Pour t'avoir aimé*. Elle avait dédicacé son œuvre: *à mon père, le plus occidental des occidentaux*. Son épilogue contenait les quatre lignes suivantes que je cite en concluant ce chapitre:

Les yeux qui ont bu à la lumière
De l'Orient,
Distingueront plus loin encore
De profondes clartés.

II

UN DERNIER REGARD VERS LE FÉDÉRAL

La pendaison de Louis Riel, en 1885, sous le gouvernement de sir John A. Mcdonald, et l'imposition de la conscription, en 1917, lors de la Première Guerre par un autre gouvernement conservateur, celui de sir Robert Borden, avait stigmatisé pour de nombreuses années à venir le Parti conservateur au sein de la population d'origine française du pays.

D'autant plus que l'avénement, en 1896, du chef libéral Wilfrid Laurier, un Canadien de langue française du Québec, comme premier ministre du Canada avait soulevé l'enthousiasme des Canadiens d'expression française. C'était le premier Canadien français à occuper cette éminente fonction.

Sir Wilfrid Laurier avait conservé le pouvoir jusqu'en 1911. Il avait alors été défait par sir Robert Borden, le chef du Parti conservateur, qui avait reçu l'appui d'un groupe de Nationalistes du Québec, dirigé par Henri Bourassa. Ce grand tribun populaire, fondateur du journal *Le Devoir*, en 1910, avait pourtant appuyé Laurier, en 1896. Il avait aussi représenté le comté de Labelle, comme Libéral, à la Chambre des communes, de 1896 à 1907. L'année suivante, soit en 1908, il était devenu député provincial à la Législature du Québec.

De son siège de chef de l'opposition libérale au Parlement canadien, Wilfrid Laurier avait combattu l'adoption de la loi de conscription, pour service outremer, votée par les Conservateurs en 1917. Il est décédé à Ottawa, le 17 février 1919, à l'âge de 78 ans.

Au mois d'août 1919, à un congrès libéral réuni à Ottawa, William Lyon MacKenzie King fut élu comme successeur de sir Wilfrid Laurier à la direction du Parti libéral du Canada. Originaire de Berlin (devenu Kitchener), en Ontario, MacKenzie King avait été ministre du Travail dans le gouvernement Laurier.

C'est à la suite des élections générales tenues en 1921 que MacKenzie King fut élu, pour la première fois, premier ministre du Canada. Il fut réélu premier ministre au cours de six élections générales. Lors de la transmission de ses pouvoirs à Louis Saint-Laurent, en 1948, MacKenzie King avait occupé le poste de premier ministre pendant près de vingt-deux ans, soit durant un plus grand nombre d'années que tout autre premier ministre du pays. Il avait bénéficié de la vague de confiance et de la crédibilité dont jouissait le Parti libéral depuis le début du siècle, en particulier dans les milieux de langue française.

Un geste inattendu de MacKenzie King

J'ai connu MacKenzie King au cours des trois premières années où j'ai siégé au Parlement canadien, soit de

1945 à 1948. Ce furent les dernières années de son mandat comme premier ministre du pays.

Célibataire austère et mystique, il était un adepte du spiritisme. Il vivait dans la solitude d'où il exerçait une grande influence. Il jouissait d'un immense prestige. Méticuleux et ponctuel, il assistait habituellement à l'ouverture des séances de la Chambre des communes et y restait jusqu'après la période des questions. Puis, à moins qu'un débat puisse particulièrement l'intéresser, il se retirait modestement, de façon à ne pas attirer l'attention. Un jour, c'était le 28 avril 1948, le premier ministre MacKenzie King m'avait fait l'honneur de demeurer en Chambre et d'écouter attentivement le discours que je prononçais. J'y avais mis toute mon âme. C'était dans les années d'après-guerre où la montée des impérialismes avait déjà déclenché le processus de la guerre froide entre Russes, Américains, Européens et Asiatiques, laissant présager la possibilité d'une éventuelle troisième guerre mondiale.

Je dénonçais ces signes avant-coureurs d'un autre cataclysme universel. Je disais que nous avions ici, au Canada, la liberté politique et un héritage immense de richesses. J'ajoutais que nous devions d'abord accorder à notre population une pleine mesure de liberté économique et de sécurité sociale et qu'ensuite, par le moyen de notre assistance morale et matérielle, nous devions mettre en œuvre des mesures propres à faire partager cette liberté et cette sécurité, dont nous disposions, avec les autres pays moins fortunés du monde. Cela nous coûterait sûrement cher, mais infiniment moins que les calamités d'une autre guerre mondiale qui ne règlerait rien. Car, aucune philosophie n'a jamais été détruite par une guerre.

En terminant, je déclarais que ce n'est pas la guerre qui est inévitable dans notre monde, mais bien la paix ; si seulement nous pouvions un jour comprendre que tous les hommes sont des frères, tous fils d'un même Dieu.

J'avais traité de ce sujet, encore d'actualité à notre époque, pendant les vingt minutes qui étaient attribuées aux députés, suivant les règlements de la Chambre.

À peine mon discours était-il terminé, que j'ai aperçu le premier ministre MacKenzie King se lever lentement de son siège et se diriger dans ma direction. On comprendra facilement qu'à cette époque, au début de ma carrière politique, la modeste place que j'occupais dans une Chambre de 245 députés était assez distante de celle du premier ministre du pays.

De la façon la plus inattendue, il est venu s'asseoir à mes côtés. Il me serra la main en me félicitant et causa familièrement avec moi devant une Chambre toute ébahie d'un geste aussi exceptionnel de la part de MacKenzie King, lui toujours si réservé, distant et surtout maître des émotions qui pouvaient l'animer intérieurement.

J'avais alors été l'heureux bénéficiaire d'un rare geste pour lequel je n'ai encore vraiment pu trouver d'explication.

Les défaites libérales de 1957 et de 1958

Aux élections générales tenues en 1949 et en 1953, le premier ministre Louis Saint-Laurent avait remporté deux grandes victoires: 190 sièges sur 262, en 1949; et 170 comtés, sur un total de 265, en 1953.

Mais en démocratie, même les meilleurs gouvernements finissent toujours, tôt ou tard, par succomber sous l'effet du funeste phénomène de l'usure. C'est ainsi, que pour diverses raisons, aux élections générales de 1957, une première vague populaire avait porté le chef conservateur, John Diefenbaker, au pouvoir, avec 112 comtés contre 105, obtenus par le Parti libéral.

Déjà âgé de 75 ans, Louis Saint-Laurent avait alors décidé de démissionner comme chef du Parti libéral. C'est

Lester B. Pearson qui était devenu son successeur, au congrès tenu à Ottawa, au mois de janvier 1958.

Peu de temps après le choix du nouveau chef libéral, le premier ministre Diefenbaker annonça la tenue de nouvelles élections générales, pour le 31 mars 1958. La vague conservatrice de 1957 se transforma alors en un véritable torrent assurant au Parti conservateur 208 sièges contre 48 remportés par le Parti libéral.

Jamais dans le passé un parti politique n'avait gagné des élections avec une majorité aussi considérable au pays; jamais, non plus, les Conservateurs n'avaient fait élire un aussi grand nombre de députés dans la province de Québec, soit 50 sur un total de 75 comtés. C'était un événement sans précédent dans l'histoire politique du Canada, en particulier celle du Québec.

Mais, toute pénible que puisse être une défaite électorale pour ceux qui la subissent, il n'en reste pas moins, qu'en démocratie, c'est souvent à la faveur de la perte du pouvoir qu'un parti politique peut le mieux se régénérer, rajeunir ses cadres et réviser son orientation.

L'intervention de l'Union Nationale

Pendant que Louis Saint-Laurent était premier ministre du Canada, Maurice Duplessis était premier ministre de la province de Québec. Une ère de confrontation s'était engagée entre ces deux illustres compatriotes.

À cette époque, les élections du Parti de l'Union Nationale, dirigé par Maurice Duplessis, se faisaient le plus souvent aux dépens et sur le dos d'Ottawa. Le gouvernement fédéral c'était *l'ennemi*. Ce *gouvernement centralisateur d'Ottawa donnait aux étrangers alors que Duplessis donnait à sa province*. C'était ce gouvernement d'Ottawa *qui volait notre butin*. Ces députés libéraux, repré-

Le Ier janvier 1957, comme à chaque jour de l'An, le premier ministre Saint-Laurent recevait ses amis et admirateurs au *Club de Réforme* de Québec. C'était la dernière fois en sa qualité de premier ministre du Canada. De gauche à droite dans la ligne de réception : Jean Lesage ; Hugues Lapointe ; le premier ministre Saint-Laurent ; Gérard Lévesque, avocat de Québec et président du club ; moi-même et Henri Gauvin.

sentants du Québec à Ottawa, étaient *des traîtres à leur province*. Et autres balivernes du même genre.

Comme résultat de ces incessantes attaques de la part de l'Union Nationale contre le Parti libéral fédéral, un certain nombre de députés du Québec à la Chambre des communes avaient décidé d'intervenir, en guise de représailles lors d'élections provinciales, pour dénoncer de tels procédés.

J'avais moi-même participé aux élections provinciales de 1956, en appuyant officiellement la candidature de Gérard D. Lévesque, dans Bonaventure, contre le député de l'Union Nationale, Henri Jolicœur, qui fut battu. Gérard D. est devenu depuis un prodige de longévité politique, ayant été réélu sans interruption, à toutes les élections générales depuis 1956, soit depuis 27 ans.

Mais il me restait à encaisser le contrecoup de ma participation à ces élections provinciales.

Élu député fédéral de Bonaventure, comme indépendant, avec une majorité de 1 280 voix, en 1945 ; réélu comme libéral avec une majorité de 3 026 voix, en 1949, et de 2 731 voix en 1953, j'envisageais mon avenir politique sur la scène fédérale avec beaucoup de sérénité. L'un de mes prédécesseurs dans ce comté, Charles Marcil, n'avait-il pas été élu député libéral à Ottawa, sans interruption, au cours de dix élections générales, soit de 1900 à 1935. Mais en politique, il y a les impondérables.

Comme un grand nombre de mes collègues fédéraux, je fus moi aussi, en 1957, victime de la riposte de l'Union Nationale autant que de la vague populaire qui avait marqué la défaite de Louis Saint-Laurent en portant les Conservateurs de John Diefenbaker au pouvoir.

Mon adversaire conservateur, un concitoyen de ma paroisse natale de Bonaventure, Nérée Arsenault, ingénieur forestier, l'avait emporté par 258 voix de majorité.

Dans la région de Québec

Je ne saurais mieux décrire ce lendemain de défaite, dans la région de Québec, qu'en citant ces passages de la chronique de Gérard Morin, alors correspondant du journal *Le Soleil*, à Ottawa, publiée en date du 26 juin 1957. Nous y retrouvons toute la saveur de l'époque :

> « ... Dans la région électorale de Québec, on compte, chez les libéraux, principalement trois disparus : l'hon. Hugues Lapointe, qui était ministre des Anciens Combattants et des Postes ; Léopold Lan-

glois, député de Gaspé et adjoint parlementaire aux Transports, enfin, Bona Arsenault, député de Bonaventure, auteur, homme d'affaires et ancien journaliste.

Pour tous ceux qui ont vu la campagne de près, ou ont lu les journaux au cours de la bataille qui vient de finir, tout le monde sait que ces trois défaites libérales sont directement et en majeure partie des victoires de l'Union Nationale, dont les ministres et les députés, en plusieurs comtés, ont pris une part très active à la lutte.

Lester B. Pearson, secrétaire d'État aux Affaires extérieures de 1948 à 1957, premier ministre du Canada de 1963 à 1968; Louis Saint-Laurent, ministre de la Justice de 1941 à 1948, premier ministre du Canada de 1948 à 1957; Jean Lesage, ministre des Ressources et du Développement économique en 1953, ministre du Nord canadien et des Ressources nationales de 1953 à 1957, premier ministre de la province de Québec de 1960 à 1966.

C'était évidemment pour rendre la politesse à ces «gens d'Ottawa», qui, l'an dernier, étaient descendus dans l'arène au cours de l'élection provinciale. Et c'est largement pour cela que MM. Lapointe, Langlois et Arsenault ont perdu leurs comtés...

MM. Léopold Langlois et Bona Arsenault ont fait une belle carrière comme députés à Ottawa. Tous les deux ont été à l'avant de mouvements pour assister la classe agricole du Québec, de même que les bûcherons, contre certains empiètements de compagnies forestières et certaines faiblesses de l'administration fédérale, dans le domaine de l'assurance-chômage. Comme dans le cas de M. Hugues Lapointe, leur défaite a été une surprise au Québec et dans le reste du pays, car ils étaient bien connus à la chambre.

....

MM. Langlois et Arsenault semblent avoir été parmi les meilleurs députés qu'ait envoyés cette région à Ottawa, depuis bien longtemps. C'est par millions qu'ils ont obtenu des travaux publics pour leurs comtés, depuis 1945. Ils étaient des travailleurs acharnés...

Ces deux députés de la Gaspésie ont été battus par de petites majorités, et ils comptent reprendre la lutte à la prochaine occasion. C'est de bonne guerre, même si la vie politique est souvent chose ingrate.»

Les jeux de la politique

Sous notre système démocratique de gouvernement, il arrive de ces sautes d'humeur de l'électorat, de ces mouvements de masse, aussi difficile à expliquer que ces suicides collectifs et périodiques de baleines s'échouant sur les rivages des océans. Il n'y a alors rien à faire, ou si peu à faire en de telles circonstances, alors que la population ne veut plus rien entendre, plus rien savoir de ceux-là qui sont irrémédiablement voués à la défaite.

C'est la condamnation à l'exécution sommaire, sans appel, mettant brusquement fin à de nombreuses et parfois fructueuses carrières politiques. À ceux qui en ont encore la vocation, il ne reste plus qu'à encaisser en silence, sourire, souvent pardonner et confier leur espoir en des jours meilleurs.

Ce sont là les règles impérieuses, souvent impitoyables, du jeu de la politique, que doivent envisager ceux et

De gauche à droite: Hugues Lapointe, lieutenant-gouverneur; Lester B. *(Mike)* Pearson, premier ministre du Canada; Jean Lesage, premier ministre du Québec et moi-même, en 1966.

celles qui nourrissent l'ambition d'embrasser cette sphère d'activité.

Combien de candidats, victorieux au soir d'un jour d'élections, qui attribuent leur succès à leur seul talent et mérite personnels. Dans de multiples cas, ils n'auraient jamais été élus, sans la popularité de leur chef, ou l'impopularité des adversaires, ou encore sans le mouvement populaire qui a porté leur parti au pouvoir. On peut être fort de la faiblesse de l'adversaire.

Par contre, combien de candidats de grande valeur n'ont jamais réussi à faire une trouée en politique, en raison du manque de dynamisme ou de crédibilité de leur chef, du lourd passé de frustrations traîné par leur formation politique, ou de la vague populaire adverse dont ils avaient à faire face. La valeur personnelle, comme seule arme de combat, peut très difficilement disposer de tels obstacles.

C'est ainsi que depuis le début du siècle, très rares sont les Canadiens de langue française, du Québec, qui ont pu réussir à faire carrière au sein du Parti conservateur, à Ottawa. Si parfois des candidats conservateurs se sont fait élire accidentellement, à certaines élections au Québec, ils ont ordinairement été défaits lors d'élections subséquentes. Leur passage sur la scène fédérale a presque toujours été de courte durée.

Diefenbaker, Pearson, Trudeau

Trois premiers ministres ont dirigé le pays depuis le départ de Louis Saint-Laurent de la scène fédérale: John Diefenbaker, Lester B. Pearson et Pierre Elliott Trudeau.

J'ai bien connu celui que tout le monde à Ottawa appelait Diefenbaker, pour avoir siégé avec lui pendant douze ans, à la Chambre des communes, soit de 1945 à 1957. Son règne, comme premier ministre, n'avait pas duré aussi longtemps que l'avait laissé prévoir l'imposante majorité qu'il avait obtenue aux élections générales de 1958. D'ailleurs, Diefenbaker était beaucoup plus à son aise sur les estrades populaires que dans un fauteuil de premier ministre.

Dépourvu d'aptitude pour le travail d'équipe, têtu et ombrageux, plusieurs de ceux qu'il avait nommés ministres de son gouvernement l'avaient abandonné en cours de route, dont Léon Balcer, député de Trois-Rivières, solliciteur général du Canada en 1957, et ministre des Transports en 1958.

Prévoyant sans doute sa défaite, Diefenbaker avait repoussé la tenue d'élections générales jusqu'à l'extrême limite de son terme d'office, soit en avril 1963. Il fut alors battu par Lester B. Pearson qui, en 1958, avait succédé à Louis Saint-Laurent, comme chef du Parti libéral.

Au Québec, où Diefenbaker avait remporté 50 comtés, en 1958, il n'en avait obtenu que 7, aux élections de 1963. Les Libéraux avaient fait élire 48 députés et les Créditistes, dirigés par Réal Caouette, 20.

À ma connaissance, parmi les membres de la Chambre des communes à l'époque, il n'existait pas de député plus impérialiste que Diefenbaker à l'exception, peut-être, de Tommy Church, représentant conservateur de Broadview, à Toronto.

Diefenbaker l'a d'ailleurs abondamment prouvé au cours de sa carrière politique, à Ottawa, en particulier par la lutte farouche qu'il a dirigée avec son groupe de Conservateurs en Chambre contre l'adoption d'un drapeau canadien, proposée par le premier ministre Pearson, à la session de 1964. Diefenbaker était un authentique dinosaure tory, réfractaire à toute évolution constitutionnelle du pays. À son avis, le Canada était resté une colonie de l'Angleterre et devait le demeurer.

À l'été de 1959, alors qu'il était premier ministre, Diefenbaker avait effectué le tour complet de la Gaspésie en automobile, s'arrêtant en de nombreux endroits. À Carleton, il avait été l'objet d'une réception qui l'avait bien touché.

On sait que Monseigneur Charles-Eugène Roy P.D., pendant son long séjour comme curé de Carleton, avait fait ériger une chapelle sur le mont Saint-Joseph, dont la hauteur est de quelque 1 800 pieds. C'est l'oratoire de Notre-Dame-du-Mont-Saint-Joseph, où se rendent chaque année de nombreux visiteurs. De cet endroit, par une belle température, on peut admirer un magnifique paysage pouvant s'étendre à plus d'une cinquantaine de milles sur la baie des Chaleurs.

Monseigneur Roy, issu d'une famille traditionnellement conservatrice, avait invité le premier ministre Diefenbaker, de religion protestante, à monter sur la montagne et à visiter l'oratoire. Pour l'occasion, Monseigneur avait prévu la tenue d'une courte cérémonie religieuse, comprenant un chant d'un cantique par une chorale locale avec accompagnement d'orgue électronique.

Or, dans mon enfance, dans le milieu gaspésien où je suis né, on chantait souvent à l'église un cantique à la Vierge dont l'air avait été emprunté sans doute par les anciens à l'hymne national britannique *Dieu sauve la reine*. J'en cite ici le premier verset, dont j'oublie la sixième ligne, après tant d'années :

Nous vous invoquons tous,
Intercédez pour nous,
Mère de Dieu,
Priez pour vos enfants,
Dans leurs combats présents,
....
Mère de Dieu

C'est précisément ce cantique de mon enfance qui avait été chanté sur cet air britannique en présence de

Diefenbaker. Ne comprenant pas notre langue, il croyait avoir entendu chanter le *God Save the Queen*, en français. L'on m'a affirmé, qu'étreint par l'émotion, Diefenbaker était sorti de l'oratoire de Monseigneur Roy en s'essuyant les yeux.

Lester B. Pearson

Lester Bowles Pearson était mieux connu de ses amis sous le nom de Mike Pearson. Bowles était le nom de famille de sa mère. Il fut chef de l'opposition libérale, au Parlement canadien, de la date de son élection comme chef du Parti libéral, en 1958, jusqu'au 22 avril 1963, alors qu'il était devenu premier ministre du Canada, à la suite de la défaite du gouvernement de John Diefenbaker.

Mike Pearson était un diplomate de carrière. En 1945, il avait été ambassadeur du Canada aux États-Unis. Puis, revenu au pays, il avait été nommé sous-secrétaire d'État aux Affaires extérieures. Il avait été élu président de la septième session générale de l'Assemblée des Nations Unies, pour l'année 1952-1953, et avait eu le grand honneur de recevoir le prix Nobel de la paix, en 1957.

En dépit d'une aussi éblouissante carrière, Mike Pearson a toujours manifesté la plus grande modestie. Son affabilité était proverbiale. Très habile conciliateur, possédant le sens du compromis, personne n'aurait cependant pu le détourner de ses objectifs fondamentaux. Homme cultivé, auteur de plusieurs livres sur la politique et la diplomatie internationales, il lisait le français couramment et le parlait convenablement, mais avec un fort accent.

Le drapeau canadien

Lester B. Pearson est déjà passé à l'Histoire comme étant le premier ministre qui a doté son pays d'un drapeau véritablement canadien. Mais ce ne fut pas chose facile.

Rencontrant Lester B. Pearson, premier ministre du Canada, à son arrivée à Québec par train en 1966, alors que j'étais secrétaire de la Province.

En 1945, lors de ma première élection à la Chambre des communes, le Canada sortait d'une guerre qui, croyait-on, avait forgé son unité nationale. Le Parlement venait de réunir une nouvelle équipe de jeunes députés tout vibrants de ferveur patriotique. Le moment pour le Canada d'affirmer sa maturité était arrivé. Il fallait commencer par lui donner un drapeau national et distinctif.

Dès 1945, pour répondre au voeu de la députation libérale de langue française, le premier ministre MacKenzie King avait recommandé la formation d'un comité pour le choix d'un drapeau. Un même comité avait été reconstitué lors de la session de 1946, sous la présidence de Walter Harris, alors député de Grey Bruce, en Ontario, et secrétaire parlementaire du premier ministre.

Les députés du Québec étaient bien déterminés à obtenir le choix d'un drapeau national vraiment canadien ou, tout au moins, à empêcher l'imposition par ce comité d'un emblème permanent qui porterait la marque et les vestiges de l'époque coloniale.

Le 13 mars 1946, après avoir longuement étudié ce problème, j'avais prononcé à la Chambre des communes un discours offrant à la députation d'expression anglaise un compromis raisonnable sur la question du drapeau.

Tenant compte de la répugnance d'une forte proportion d'Anglo-Canadiens à voir disparaître le *Union Jack*, je recommandais la création d'un drapeau canadien distinctif, affranchi de tout motif colonial, soit anglais, soit français. Puis, comme compromis, je préconisais l'usage d'un deuxième emblème portant l'*Union Jack* comme motif, pouvant également être officiellement arboré au pays comme la marque de l'association du Canada aux pays du Commonwealth.

C'est un compromis de cette nature qui consacre, encore de nos jours, le rôle de la reine Élizabeth comme chef du Commonwealth britannique et reine du Canada.

Le Comité parlementaire du drapeau, après avoir considéré plus de quinze cents modèles différents, soumis par des citoyens de toutes les parties du pays, les avait tous éliminés les uns après les autres, au mois de juillet 1946, pour ne retenir que l'enseigne de la marine marchande, le *Red Ensign*. Or, la députation libérale du Québec n'en voulait pas

Une première ligne de défense composée d'une douzaine de députés libéraux du Québec se constitua. J'en faisais partie. Il fallait à tout prix empêcher le choix final du *Red Ensign* portant le *Union Jack* dans sa partie supérieure comme drapeau national. Il valait mieux attendre que les circonstances soient plus propices à l'obtention d'un drapeau vraiment canadien.

Une délégation de députés du Québec s'était formée pour rencontrer le premier ministre MacKenzie King et lui signifier l'intention de la députation libérale de langue française de combattre en Chambre le choix éventuel du *Red Ensign* par le comité du drapeau. Il était désormais assuré qu'un vote pris sur cette question aurait précipité la défaite du gouvernement MacKenzie King, ne possédant alors en Chambre qu'une faible majorité.

Le premier ministre se rendit compte de la gravité de la situation, d'autant plus que les ministres de son propre cabinet étaient divisés sur cette question. En vue de tenter de trouver une solution, MacKenzie King décida alors de la tenue d'un caucus de tous les députés libéraux du pays, pour le mercredi 10 juillet 1946. Il était à craindre que le premier ministre en profita pour annoncer son intention de poser la question de confiance, lorsque le *Red Ensign* serait proposé au Parlement comme drapeau national. Les députés du Québec appréhendaient l'ultimatum du vieux chef. Il s'en était servi avec succès dans le passé.

Les députés de langue française s'étaient alors réunis pour se concerter et préparer la stratégie à suivre au caucus, afin de faire échec à l'éventuelle proposition du premier ministre. Il fut unanimement décidé, qu'ayant offert un compromis honorable sur la question du drapeau lors de mon discours du 21 mars 1946 en Chambre des communes, je serais le premier au caucus à me lever pour répondre à l'intervention de MacKenzie King. L'ordre des autres orateurs qui devaient aussi adresser la parole avait été soigneusement déterminé à l'avance.

À ce caucus, l'atmosphère avait été survoltée. Comme résultat, la Chambre des communes ne fut jamais saisie du rapport préparé par le Comité du drapeau sous la présidence de Walter Harris. Aucune reconnaissance officielle ne fut accordée au *Red Ensign*. Il valait mieux pour le Canada ne pas avoir de drapeau officiel que d'être doté, pour des siècles à venir, d'un emblème colonial que la population d'origine française du pays ne pouvait pas accepter comme étendard national.

Dix-huit ans plus tard

Cette question du drapeau n'avait plus été ravivée au Parlement, sauf qu'en décembre 1953, j'avais présenté une motion réclamant le vote de la Chambre en faveur du principe de l'établissement d'un drapeau distinctif pour notre pays. Ce vote, écarté sur une question de procédure, n'eut pas lieu.

En 1963, Lester B. Pearson devenait premier ministre du Canada. L'année suivante, il avait présidé une Conférence fédérale-provinciale des premiers ministres des provinces, qui avait débuté à Québec le 31 mars 1964. Je faisais partie de la délégation du Québec.

Au cours de la Conférence, le premier ministre Pearson, se souvenant de mes interventions au Parlement canadien en faveur de l'adoption d'un drapeau distinctif pour le Canada, me confia en privé qu'il avait l'intention de proposer une législation à ce sujet au cours de la session fédérale de l'année en cours. Il me demanda également de lui apporter une copie de mon livre *Malgré les Obstacles*, qu'il se souvenait avoir déjà lu dans lequel se trouvait un chapitre complet sur la question du drapeau canadien, donnant en détail le compromis que j'avais proposé en Chambre en 1946.

Je me souviens lui avoir remis ce volume à la fin de l'une des séances du soir de cette conférence. Il l'avait apporté à sa chambre d'hôtel, au Château Frontenac, pour relire ce chapitre qui l'intéressait de façon particulière. Le lendemain, il vint me trouver à mon siège, à la Conférence, pour me dire: « Bona, j'ai relu ta proposition au sujet du drapeau canadien. Nous allons y donner suite. »

En s'inspirant de ma propre proposition, c'est ce que le premier ministre Pearson a fait. Nous avons un drapeau canadien distinctif depuis 1964, mais l'Union Jack peut encore être officiellement arboré au pays pour indiquer notre appartenance à l'association des nations du Commonwealth britannique. C'était là le compromis que j'avais offert à la députation de langue anglaise de la Chambre des communes, lors de mon discours de 1946 au Parlement canadien, dont j'avais reproduit les grandes lignes dans un chapitre de *Malgré les Obstacles*, publié en 1953.

Dix-huit ans après la tenue du caucus convoqué par MacKenzie King, en 1946, sur cette question fort controversée, Lester B. Pearson, grâce à sa largeur de vue, à sa détermination et à son sens du compromis avait donné au Canada son drapeau distinctif.

Le T.H. Pierre Elliott Trudeau, premier ministre du Canada, lors de sa visite à Bonaventure le 4 mai 1982. Il est ici accompagné de Rémi Bujold, député fédéral de Bonaventure–Îles-de-la-Madeleine.

Pierre Elliott Trudeau

Lorsque Pierre Trudeau est entré à la Chambre des communes comme député, en 1965, il y avait déjà huit ans que j'en étais sorti. Mais je l'avais connu alors qu'il collaborait à *Cité Libre*. Il le rappelait d'ailleurs lui-même, dans son allocution lors de la visite qu'il faisait au village de Bonaventure le 4 mai 1982, alors qu'il s'exprimait dans les termes suivants, puisés dans le *Bulletin parlementaire* du député Rémi Bujold:

> «Je désire évoquer en même temps, déclara le premier ministre Trudeau, cette légendaire figure qu'est Bona Arsenault, qui vient de chez vous et que j'ai bien connu, avant même que je sois entré en politique. C'est une figure qui reste légendaire, non seulement à Québec, mais à Ottawa également...»

Élu successeur de Lester B. Pearson comme chef du Parti libéral, au congrès du mois d'avril 1968, c'est le 20 du même mois, qu'il avait été assermenté comme premier ministre du Canada. Pierre Elliott Trudeau devenait ainsi le troisième Canadien de langue française du Québec à occuper cette haute fonction.

Pierre Trudeau ne laisse personne indifférent. On l'aime ou on ne l'aime pas. Mais adulé ou contesté, il n'en a pas moins dirigé le pays comme premier ministre pendant plus de quinze ans, dépassant le record établi par sir Wilfrid Laurier, de 1896 à 1911. Étant né à Montréal, le 18 octobre 1919, il est encore moins âgé aujourd'hui, après plus de quinze ans de pouvoir que ne l'était Louis Saint-Laurent, en 1948, lorsqu'il était devenu premier ministre du Canada pour la première fois.

En politique, Pierre Trudeau pratique un style tout à fait personnel qui l'a bien servi jusqu'ici. Se trouve-t-il un quidam quelconque qui lui crée des ennuis, qui contrecarre ses plans, Pierre Trudeau attendra patiemment son heure. Puis, au moment où il le jugera à propos, tantôt grand seigneur tantôt bagarreur, il fera ordinairement disparaître de son chemin quiconque aura osé lui manifester de l'animosité.

Redoutable jouteur, logicien-né, au cours d'un discours Pierre Trudeau excelle dans l'art de pouvoir simplifier en une courte synthèse à la portée de son auditoire des explications compliquées qui, par d'autres, seraient présentées de façon autrement laborieuse. Devenu le doyen des chefs d'État du monde occidental, ses conseils, grâce à ses vastes connaissances et à sa longue expérience, sont recherchés dans les milieux internationaux.

Le rapatriement de la constitution

Pierre Elliott Trudeau aura réussi à sectionner le dernier lien de colonialisme, n'aurait-il été que partiellement symbolique, reliant le Canada au Parlement de Londres, lorsqu'au mois de novembre 1981 il accomplissait l'exploit historique d'assurer le rapatriement de la Constitution canadienne d'Angleterre.

Il avait alors pu obtenir l'assentiment de tous les gouvernements des provinces canadiennes, à l'exception du gouvernement indépendantiste du Québec, ainsi que l'approbation du Sénat et de la Chambre des communes, en faveur d'une formule d'amendement, la dernière qui serait dirigée vers Londres. Puis, le 17 avril 1982, Sa Majesté la reine Élizabeth signait à Ottawa la proclamation royale de la nouvelle Constitution du Canada.

Depuis cet acte historique, la constitution de notre pays peut être amendée ici même au Canada par des Canadiens. Pour la première fois, les Canadiens sont les

Le premier ministre Pierre Elliott Trudeau, lors de la Conférence fédérale-provinciale de 1969, tenue à Ottawa. Il est ici en compagnie de Jean-Jacques Bertrand, à droite, au premier plan, alors premier ministre du Québec.

seuls et uniques maîtres de leur destinée d'ordre constitutionnel.

Il reste que, de tous les partis politiques fédéraux, le Parti libéral a été jusqu'ici le seul dont les membres ont suffisamment fait preuve de largeur de vue et de maturité pour élire des Canadiens d'origine française, du Québec [1], à la haute direction de leur formation politique. Les

1. Brian Mulroney, originaire de la Côte Nord du Saint-Laurent, était élu chef du Parti progressiste-conservateur, le 11 juin 1983, lors d'un congrès national tenu à Ottawa. Né le 20 mars 1939 à Baie-Comeau, au Québec, Brian Mulroney est le fils de B.M. Mulroney et d'Irène Shea, d'origine irlandaise.
Diplômé en économie politique de l'université Saint-François-Xavier d'Antigonish, en Nouvelle-Écosse, et licencié en droit de l'Université Laval, il est parfaitement bilingue. En 1973, il a épousé Mila Pivnicki, la fille d'un psychiatre yougoslave.

trois chefs recrutés par le Parti libéral fédéral, au Québec, comptent parmi les premiers ministres les plus prestigieux que le Canada ait produits.

Puis, lorsque se seront dissipées les fumées délétères de la partisanerie et des rancœurs politiques, l'Histoire dira que parmi tous les premiers ministres du pays qui se sont succédés depuis la Confédération, l'un des plus illustres, sinon le plus grand de tous, aura été un Canadien français du Québec, Pierre Elliott Trudeau.

III

SUR LA SCÈNE PROVINCIALE

Il est une faute que les Libéraux du Québec ne pardonnent que difficilement à leur chef. C'est celle de perdre une élection générale. Or, à la veille de la tenue du congrès libéral provincial de 1958, Georges-Émile Lapalme, alors chef du Parti libéral provincial, depuis 1950, avait déjà perdu deux élections : celles de 1952 et de 1956.

Maurice Duplessis, chef du Parti de l'Union Nationale, était alors premier ministre de la Province. Il avait pris le pouvoir une première fois, en 1936. Trois ans plus tard, soit en 1939, il avait été défait par le chef libéral Adélard Godbout, devenu premier ministre. Mais, au cours des quatre élections générales subséquentes, Maurice Duplessis avait remporté d'éclatantes victoires électorales. Même en 1956, après douze années ininterrompues de pouvoir, il avait obtenu 52% des votes exprimés de l'électorat et fait élire 72 députés alors que l'Assemblée législative n'en comptait que 93.

Georges-Émile Lapalme, qui avait été le chef du Parti libéral et de l'opposition officielle à une mauvaise époque, avait été le malheureux protagoniste d'une cause désespérée.

En 1936, lorsque Maurice Duplessis était devenu premier ministre du Québec, il y avait près de quarante ans que le Parti libéral dirigeait l'administration de la province, sans interruption. Quatre chefs libéraux étaient alors devenus premiers ministres du Québec: Félix-Gabriel Marchand, de 1897 à 1900; Simon-Napoléon Parent, de 1900 à 1905; sir Lomer Gouin, de 1905 à 1920 et Louis-Alexandre Taschereau, de 1920 à 1936.

Habitués qu'ils avaient été, pendant toutes ces longues années, à la béatitude du pouvoir, tant à Québec qu'à Ottawa, les Libéraux provinciaux avaient acquis la conviction que l'exercice du pouvoir était devenu un attribut essentiel de leur formation politique. Aussi, sont-ils devenus sans pitié pour ceux de leurs chefs qui ont eu le malheur de connaître la défaite.

Ont été les victimes de cet état d'esprit: Adélard Godbout, à la suite de sa défaite aux élections générales de 1944, Georges-Émile Lapalme, après sa deuxième défaite électorale en 1956, ainsi que Jean Lesage, lorsqu'il partagera lui-même l'amertume des vaincus aux élections générales de 1966.

Maurice Duplessis

Né à Trois-Rivières, le 20 avril 1890, Maurice Lenoblet-Duplessis était un brillant avocat. Élu député conservateur à la Législature de Québec pour la première fois en 1927, il devint le fondateur du Parti de l'Union Nationale en 1935.

Au congrès tenu à Sherbrooke en 1933, Maurice Duplessis avait été élu chef du Parti conservateur provincial. À la même époque, un groupe de Libéraux à tendance nationaliste, mécontents du régime Taschereau, avaient fondé une nouvelle formation politique connue sous le nom d'Action Libérale Nationale. Leur chef, Paul Gouin, était le fils d'un ancien premier ministre libéral. Il comptait parmi ses principaux associés: le Dr Philippe Hamel, Me Oscar Drouin, Édouard Lacroix, Ernest Ouellet, conseiller législatif, et Me Ernest Grégoire, alors maire de la ville de Québec.

À la suite de laborieuses tractations, en novembre 1935, Maurice Duplessis et Paul Gouin, avaient conjointement annoncé l'établissement d'une alliance entre ces deux groupements politiques. C'était la naissance de l'Union Nationale.

Aux élections générales tenues en 1935, chacune de ces formations présentait un certain nombre de candidats portant les étiquettes respectives de leur parti politique. Furent alors élus: 48 Libéraux, 16 Conservateurs et 26 partisans de l'Action Libérale Nationale. Le Parti libéral conservait le pouvoir avec la mince majorité de six voix en Chambre.

Au début de la session de 1936, Maurice Duplessis avait obtenu la convocation du Comité d'enquête sur les comptes publics. Avocat retors, pendant de longues semaines, il avait fait comparaître toute une série de témoins qui avaient dévoilé un certain nombre de présumés scandales ou de procédés irréguliers attribués à des personnages liés de près au régime Taschereau. À la suite de ces révélations, le premier ministre Taschereau décida de démissionner. Adélard Godbout, alors ministre de l'Agriculture, devenu premier ministre de la Province, annonça la tenue de nouvelles élections qui eurent lieu le 17 août 1936. L'Union Nationale fut alors portée au pouvoir avec

76 sièges contre 14 aux Libéraux dirigés par Adélard Godbout.

Paul Gouin ayant, par la suite, rompu avec Maurice Duplessis, une majorité des députés qui avaient été élus sous l'étiquette de l'Action Libérale Nationale en 1935, s'était spontanément ralliée au nouveau premier ministre, Maurice Duplessis, devenu alors le chef incontesté de l'Union Nationale.

Trois ans plus tard, aux élections générales du 25 octobre 1939, Adélard Godbout, fortement appuyé par les Libéraux fédéraux dirigés par Ernest Lapointe, alors ministre fédéral de la Justice et bras droit de MacKenzie King, avait repris le pouvoir, remportant 69 comtés contre 14 qui allèrent à l'Union Nationale.

Mais, aux élections générales suivantes, celles du 8 août 1944, Maurice Duplessis, chef de l'Union Nationale, était reporté au pouvoir. C'est alors qu'il occupera le poste de premier ministre de la Province sans interruption jusqu'à son décès à Shefferville, des suites d'une hémorragie cérébrale, le 7 septembre 1959, à l'âge de 69 ans.

Aux élections générales de 1935, j'avais moi-même été le candidat conservateur de Maurice Duplessis dans le comté de Gaspé-Sud. L'un de mes adversaires, le Dr Camille Pouliot, tentait alors de se faire élire comme libéral indépendant. Vingt-cinq ans plus tard, soit aux élections tenues en 1960, nous avions tous deux été élus députés de l'Assemblée législative. Étant devenu membre du Parti libéral en 1945, je faisais partie en 1960 de l'équipe de Jean Lesage. De son côté, le Dr Camille Pouliot, ayant abandonné le Parti libéral en 1936 pour suivre Maurice Duplessis, avait été élu en 1960 sous l'étiquette de l'Union Nationale.

Maurice Duplessis, tel que je l'ai connu, ne correspond pas beaucoup à la caricature qui a été fabriquée de

Lors de la réouverture officielle de la *Gaspesia Sulphite*, devenue la *Gaspesia Pulp and Paper Co.*, à Chandler, comté de Gaspé, en 1938. Cela fut possible grâce à l'intervention de Duplessis. Première rangée, de gauche à droite : le président-directeur général de la compagnie ; le père Lebarzic, curé de Chandler ; Maurice Duplessis, tenant le premier ballot de papier sorti de l'usine ; madame Josie D. Quart, devenue sénatrice par la suite ; le docteur Camille Pouliot, député de Gaspé-Sud et ministre des Pêcheries ; les avocats François Drouin et Jean Mercier ; moi-même, alors que j'étais directeur du *Journal* de Québec. Cette importante industrie était fermée depuis de nombreuses années.

lui et projetée sur les écrans de télévision en ces dernières années.

Meneur d'hommes, Maurice Duplessis était évidemment autoritaire et savait se faire respecter. Généreux à l'extrême pour ses amis, il était impitoyable pour ses ennemis. C'est lui-même qui, sur un ton badin, aimait répéter dans l'intimité : « Moi, je suis un homme juste. Je suis juste même pour mes adversaires. Mais je suis *encore plus juste pour mes amis.* » Conscient de sa force il en abusa parfois, s'appuyant sur l'axiome que la fin justifie les moyens.

Conformiste, il nourrissait une vive aversion pour les intellectuels et les réformistes. Il avait surtout de l'antipathie à l'endroit du père Georges-Henri Lévesque, dominicain, le fondateur et directeur de la faculté des sciences sociales, politiques et économiques de l'Université Laval.

Par sa politique d'autonomie provinciale, il su conserver jusqu'à la fin l'appui des éléments nationalistes du Québec, tout en demeurant foncièrement Canadien de cœur et d'esprit. Il était particulièrement respectueux de l'Acte fédératif de 1867, formant la constitution du pays.

Maurice Duplessis était entièrement détaché des biens matériels. Aussi, était-il d'une exceptionnelle générosité pour ceux qui, étant dans le besoin, s'adressaient à lui.

Personne ne connaîtra jamais le montant des sommes d'argent qu'il a personnellement versées aux œuvres du frère André, récemment béatifié, l'un de ses plus fidèles amis. Animé d'une dévotion particulière envers saint Joseph, Maurice Duplessis assistait à une messe tous les mercredis matin, ordinairement à la basilique de Québec.

Maurice Duplessis a consacré son temps et ses talents à administrer la Province, en bon père de famille, selon les méthodes artisanales, les ressources financières et la mentalité populaire de l'époque. Son style de gouvernement ne conviendrait sûrement pas au Québec d'aujourd'hui, si fortement marqué par l'évolution des esprits. Les conjonctures sociale, politique et économique ne sont plus les mêmes de nos jours dans la province, qu'elles étaient il y a une cinquantaine d'années.

Que l'on soit d'accord ou non avec la façon avec laquelle il a exercé le pouvoir, Maurice Duplessis n'en restera pas moins l'homme le plus rusé et le plus puissant ayant passé sur la scène parlementaire du Québec.

Jean Lesage, chef du Parti libéral

Nous avions passé douze années ensemble, Jean Lesage et moi, comme députés à Ottawa. Une solide amitié s'était établie entre nous. Nous avions logé au même hôtel pendant huit ans, soit de notre élection en 1945 à sa nomination comme ministre du gouvernement Saint-Laurent en 1953. Nous avions la plus grande confiance l'un envers l'autre.

À Québec, où nous demeurions tous les deux, nous nous rencontrions souvent, soit à sa résidence de la rue Bougainville, soit à sa maison d'été de Berthier. Il m'avait souvent rendu visite au cours des mois d'été à ma maison de campagne à Bonaventure, en Gaspésie, malgré la distance.

Jean Lesage s'était fait élire aux deux élections fédérales successives de 1957 et de 1958, dans son comté de Montmagny-L'Islet, malgré les défaites du Parti libéral sous Diefenbaker.

Quant à Georges-Émile Lapalme, il avait été notre collègue au Parlement canadien, de 1945 à 1950, alors qu'il était devenu le chef du Parti libéral provincial.

Huit ans plus tard, soit au printemps de 1958, la tenue d'un congrès libéral pour le choix d'un nouveau chef provincial fut annoncée. Georges-Émile Lapalme ne solliciterait pas le renouvellement de son mandat. C'est alors que Jean Lesage décida de présenter sa candidature comme chef du Parti libéral du Québec, fort de l'appui du chef démissionnaire et des Libéraux les plus influents des diverses parties de la Province.

C'est à partir de ce moment que je suis devenu l'un des plus proches collaborateurs de Jean Lesage dans l'organisation de sa campagne à la direction du Parti libéral, aussi bien qu'à la mise en œuvre par la suite des moyens propres à assurer sa victoire aux élections provinciales prévues pour 1960. Il m'avait fait entièrement confiance.

Le congrès libéral avait élu Jean Lesage le samedi soir 31 mai 1958, au premier tour de scrutin, par une écrasante majorité sur tous ses adversaires. Il avait obtenu 630 voix sur un total de 873 votes enregistrés; Paul Gérin-Lajoie en avait eu 145; René Hamel, 97, et le Dr Aimé Fauteux seulement 1, fort probablement le sien.

Jean Lesage n'avait pas tardé à se mettre à la besogne. Dès le 10 juin, à la suite d'une réunion des députés libéraux qu'il avait présidée, il avait annoncé en conférence de presse la formation de trois comités du parti : ceux des finances, de la publicité et des affaires juridiques.

De plus, avec l'assentiment de la députation libérale, il avait informé la population que Georges-Émile Lapalme, alors en voyage de repos en Europe, continuerait d'occuper le poste de chef parlementaire de l'opposition à l'Assemblée législative. L'on sait que Georges-Émile Lapalme avait été élu député d'Outremont, lors de l'élection complémentaire tenue le 9 juillet 1953 et qu'il avait été réélu, dans ce même comté, aux élections générales de 1956.

Enfin, Jean Lesage avait annoncé que dès le début de juillet, il entreprendrait une tournée personnelle de tous les comtés de la Province. Au cours de ces visites, il se rendrait compte sur place des problèmes de la population et il s'efforcerait de recruter les meilleurs candidats possible pour représenter le Parti libéral aux prochaines élections provinciales dans les divers comtés du Québec.

Des assemblées régionales seraient tenues dans les diverses parties de la Province, où le nouveau chef libéral prendrait la parole pour expliquer le programme libéral et lancer ses flèches les plus aiguës contre l'Union Nationale. Or, Jean Lesage, doué d'une prestance exceptionnelle et d'une grande éloquence, était certes l'un des plus grands charmeurs de foule de sa génération.

Malgré ces atouts et le prestige qu'il avait acquis à Ottawa comme ministre du gouvernement Saint-Laurent, Jean Lesage avait rencontré au début certaines résistances de la part de personnes dont il sollicitait l'adhésion comme candidats libéraux aux prochaines élections provinciales.

À l'époque, peu nombreux étaient ceux qui croyaient en une éventuelle victoire du Parti libéral provincial sur l'Union Nationale. Maurice Duplessis jouissait encore d'un grand prestige et il exerçait une forte emprise sur la population du Québec. D'autant plus que les Conservateurs de John Diefenbaker détenaient le pouvoir à Ottawa. C'est grâce à la machine électorale de l'Union Nationale qu'ils avaient raflé cinquante sièges au Québec, lors des élections fédérales tenues au printemps de 1958.

La réunion de Bonaventure

Après avoir complété une première année d'incessants labeurs comme chef du Parti libéral du Québec, Jean Lesage avait senti le besoin de convoquer ses principaux collaborateurs en conciliabule pour faire l'inventaire du travail accompli et préparer la stratégie de la campagne électorale en raison de l'imminence de la tenue d'élections générales. Cette réunion devait être à l'abri des indiscrétions.

D'un commun accord, il fut convenu que ce colloque aurait lieu à ma résidence d'été à Bonaventure, connue sous le nom de Villa Acadia. Jean Lesage connaissait bien ce site paisible situé à une distance convenable du village près des rives de la baie des Chaleurs.

C'est en ce lieu qu'au cours de la première quinzaine de juin 1959 s'étaient réunis: Jean Lesage, Georges-Émile Lapalme, Gérard D. Lévesque, député de Bonaventure, Alcide Courcy, député d'Abitibi-Ouest et organisateur

En compagnie du premier ministre Jean Lesage, en 1960.

en chef, Me Gérard Cournoyer, de Sorel, Arthur Dupré, de Belœil, Me François Nobert, de Trois-Rivières, Jean-Noël Richard, du bureau de Montréal de l'organisation libérale et deux piliers du Parti libéral provincial: Alexandre Larue, qui avait été chef de cabinet de ministres du premier ministre Godbout et de chefs d'opposition, depuis 1925, et Henri A. Dutil, le secrétaire général de l'organisation libérale, à Québec, depuis 1947. Je faisais évidemment partie du groupe. Deux des principaux conseillers de Jean Lesage, pour la région de Montréal, Maurice Sauvé et Me Claude Ducharme, avaient aussi été invités à cette réunion. Maurice Sauvé deviendra par la suite le président du Comité de publicité du Parti libéral provincial.

Au cours de ces assises qui avaient duré près d'une semaine les participants en étaient arrivés à un consensus sur de multiples décisions fondamentales d'ordre stratégique et touchant l'orientation politique du Parti libéral en vue des élections générales.

C'est de la Villa Acadia, de Bonaventure, que Jean Lesage avait pu entreprendre, avec une confiance renouvelée, l'étape la plus critique de sa conquête du pouvoir à Québec.

Ma candidature dans Matapédia

J'aurais aimé me porter candidat provincial dans le comté de Bonaventure, où j'aurais probablement pu me faire élire plus facilement qu'ailleurs, mais la place était déjà occupée, avec grande distinction d'ailleurs, par le jeune député libéral Gérard D. Lévesque. Mon second choix se porterait sur l'un ou l'autre des autres comtés de la Gaspésie, ou aux Îles-de-la-Madeleine, alors tous représentés par des députés de l'Union Nationale.

Au printemps de 1959, Jean Lesage avait fait effectuer un sondage d'opinion, à mon insu, dans trois comtés de l'est du Québec: Matapédia, Gaspé-Nord et les Îles-de-la-Madeleine, de façon à évaluer mes chances de succès au cas où je me porterais candidat dans l'un ou l'autre de ces comtés aux élections générales. En m'informant du résultat de ce sondage, un jour il me dit: « Présente-toi dans n'importe lequel de ces trois comtés, travaille fort et tu seras élu. » C'était assez encourageant pour un début de campagne.

Mon choix se porta alors sur le comté de Matapédia, voisin du comté de Bonaventure, dont je connaissais mieux la population. Ce comté était resté fidèle à l'Union Nationale depuis 1944 sans interruption. Mais sa population, vivant surtout de la terre et de la forêt, était bien au

En compagnie du maire d'Amqui, Gérard Dubé, au lendemain d'une victoire électorale dans le comté de Matapédia. On remarquera à l'arrière-plan quelques-uns de mes organisateurs de la première heure, tel le docteur Louis C. Blouin; Lucien Gonthier, d'Amqui; Robert Lévesque, de Causapscal.

courant de mes interventions, comme député fédéral, en faveur des agriculteurs et des producteurs de bois de la province.

Mon investiture officielle comme candidat libéral dans le comté de Matapédia avait eu lieu à Amqui, le 28 octobre 1959, sous la présidence d'Alcide Courcy, alors député provincial et organisateur du parti pour la province. J'avais remporté une victoire décisive sur deux autres candidats du comté, alors que je demeurais à Québec depuis 1930.

Le comté de Matapédia avait été représenté à la Législature de Québec par un député de l'Union Nationale, le notaire Philippe Cossette, de 1944 jusqu'à son décès lors d'un accident d'automobile en 1953. Son successeur, Clovis Gagnon, également candidat du Parti de l'Union Nationale, avait remporté le comté par 5 311 voix de majorité à l'élection complémentaire du 9 juillet 1953 et par 1 229 votes lors des élections générales de 1956. Or, aux élections générales tenues le 22 juin 1960, j'avais été élu député du comté de Matapédia par la majorité de 1 730 voix sur Clovis Gagnon, mon plus proche adversaire. J'avais sans doute profité de la vague populaire déclenchée par Jean Lesage.

En mission auprès de René Lévesque

Au cours des mois qui ont précédé la tenue du scrutin électoral de 1960, Jean Lesage était encore à la recherche de candidats prestigieux à l'investiture libérale, pour un certains nombre de comtés de choix qu'il leur réservait. Sous un régime démocratique il est encore relativement facile pour un chef de parti de désigner *démocratiquement* son candidat dans un comté donné.

Or, à l'époque, l'émission *Point de Mire* à la télévision de Radio-Canada avait fait de René Lévesque l'un des personnages les plus populaires du Québec et aussi des plus exécrés de l'Union Nationale. Jean Lesage voulait à tout prix compter René Lévesque au nombre de ses candidats pour les élections générales dont l'échéance approchait rapidement. Il me confia le rôle d'éclaireur dans cette mission délicate destinée à obtenir l'adhésion de cet homme qui jouissait alors d'un grand prestige.

J'avais bien connu la famille de René Lévesque, en particulier son père, Dominique, dont René est devenu aujourd'hui, au physique, le fidèle portrait. Me Dominique Lévesque exerçait sa profession d'avocat en qualité d'associé de John Hall Kelly à New-Carlisle, situé à une dizaine de milles de mon village natal de Bonaventure.

Bien que René Lévesque soit né dans un hôpital de Campbellton au Nouveau-Brunswick, le 24 août 1922, où sa mère était allée attendre la cigogne pour son premier-né, il n'en est pas moins toujours demeuré le *petit gars de New-Carlisle*. À la suite du décès prématuré de son père, il n'avait que quatorze ans, lorsque sa mère décida de déménager la famille à Québec en 1936. Tout en poursuivant ses études, René avait trouvé du travail au poste de radio CKCV, puis à CBV, le Radio-Canada de nos jours. La télévision ce sera pour plus tard.

En compagnie de René Lévesque, au centre, et de Roland Deschamps, sous-ministre des Terres et Forêts, lors de l'ouverture des appels d'offre pour la récupération des bois de la Manicouagan en 1961.

J'avais déjà rencontré René Lévesque à diverses reprises, mais je le connaissais surtout de réputation. Il existe entre compatriotes gaspésiens se retrouvant à l'extérieur de leur commune patrie d'origine de mystérieux liens créant un préjugé favorable des uns envers les autres. C'est le sentiment que j'éprouvais à l'endroit de René Lévesque et je pense bien, qu'à l'époque, c'était réciproque.

Un jour, Jean Lesage m'avait dit: « Tu vas te rendre à Montréal rencontrer René Lévesque, ton concitoyen de la Gaspésie, pour t'efforcer de savoir à quelles conditions il serait disposé à devenir candidat libéral aux prochaines élections provinciales. »

Au cours d'un entretien téléphonique nous nous entendons, René et moi, pour nous rencontrer à l'hôtel Windsor, à Montréal. Après avoir fait un tour d'horizon politique, supputé les chances des partis en présence, nous en sommes venus à aborder le vif du sujet qui était l'objet de notre entrevue.

De notre colloque, j'en ai bientôt déduit qu'il aurait été inutile de songer à ce que René Lévesque acceptât de rencontrer Jean Lesage, pour discuter des modalités de son investiture comme candidat libéral, à moins qu'il ait préalablement obtenu l'assurance que la principale priorité du programme du Parti libéral porterait sur la nationalisation des compagnies productrices d'électricité au Québec.

En d'autres termes, Jean Lesage devait prendre l'engagement qu'à titre de prochain premier ministre libéral du Québec, il verrait à ce que son gouvernement procède dans les meilleurs délais à l'étatisation de toutes les compagnies productrices d'énergie hydro-électrique dans la Province. C'était la première condition de René Lévesque. Il en avait aussi d'autres.

Jean Lesage et René Lévesque se sont par la suite rencontrés. Des élections ont eu lieu en 1960. René Lévesque devint ministre des Travaux publics et des Ressources hydrauliques en cette même année, puis ministre des Richesses naturelles en 1961. D'autres élections générales ont également eu lieu en 1962, qui ont porté exclusivement sur la nationalisation de l'électricité au Québec. C'est depuis cette époque que toute la production d'énergie hydro-électrique dans la Province relève de l'Hydro-Québec.

Les élections générales de 1960

On entend parfois dire que dans la vie la chance n'existe pas. Le chanceux serait celui qui, pour prendre son train, serait arrivé à temps. Le malchanceux serait l'autre, le retardataire, arrivé à la gare après le départ du train.

Il reste toutefois que de nombreux facteurs sur lesquels personne ne peut exercer la moindre influence règlent parfois le comportement des hommes et le cours des événements.

Ainsi, par exemple, si Maurice Duplessis eut encore été vivant, lors des élections générales de 1960, Jean Lesage serait-il alors devenu premier ministre du Québec? Et quelle eût été l'issue de cette lutte électorale si Paul Sauvé, successeur de Duplessis, n'avait pas été frappé à son tour par la mort dans son sommeil, au cours de la nuit du 1 au 2 janvier 1960? Lui qui, en lançant son célèbre *désormais*, avait peut-être donné le premier signal de la *révolution tranquille*, au Québec. Il n'avait exercé la fonction de premier ministre que durant 100 jours.

Paul Sauvé, étant né le 24 mars 1907, n'avait que 53 ans lorsqu'une crise cardiaque l'emportait. Il était le fils d'Arthur Sauvé, chef du Parti conservateur provincial et de l'opposition officielle à Québec, de 1916 à 1930. Arthur Sauvé s'était alors fait élire au fédéral et il était devenu ministre des Postes sous l'administration du premier ministre R.-B. Bennett, de 1930 à 1935. Paul avait succédé à son père, comme député de Deux-Montagnes, à l'élection complémentaire du 4 novembre 1930, à l'âge de 23 ans. Très brillant, il était considéré comme le dauphin de Maurice Duplessis, qui l'avait nommé ministre du Bien-Être social et de la Jeunesse. Sa disparition prématurée fut une bien lourde perte pour l'Union Nationale de même que pour l'Assemblée législative, où il était tenu en très haute estime.

Le 6 janvier 1960, à la suite de laborieuses délibérations, l'aile parlementaire de l'Union Nationale avait désigné Antonio Barrette à la succession de Paul Sauvé. En devenant premier ministre, il avait conservé le portefeuille de ministre du Travail qu'il détenait depuis de longues années. De souche conservatrice, Antonio Barrette avait été élu député de Joliette sans interruption sous l'étiquette de l'Union Nationale à toutes les élections générales tenues au Québec depuis 1936. Né à Joliette le 26 mai 1899, il était devenu premier ministre du Québec, à l'âge de 61 ans.

Après une courte mais orageuse session, le nouveau premier ministre avait annoncé la dissolution de l'Assemblée législative et la tenue d'élections génerales pour le 22 juin 1960. Il y avait alors 94 sièges à l'Assemblée législative répartis comme suit: 70 Union Nationale, 19 Libéraux, 1 indépendant et trois sièges vacants: Trois-Rivières (Maurice Duplessis), Deux-Montagnes (Paul Sauvé) et L'Islet (Fernand Lizotte ayant démissionné le 13 janvier). Puis, un 94e comté avait été créé sur la rive nord du golfe du Saint-Laurent, portant le nom de Duplessis.

Le soir du scrutin du 22 juin 1960, Jean Lesage remportait la victoire avec 50 sièges contre 44 attribués à l'Union Nationale. J'avais été élu dans Matapédia.

Le nouveau gouvernement du Québec

Le 5 juillet 1960, le lieutenant-gouverneur, Onésime Gagnon, procédait à l'assermentation des membres du nouveau gouvernement libéral du Québec, présidé par Jean Lesage, comprenant lors de son intronisation les ministres suivants :

Jean Lesage, premier ministre et ministre des Finances, député de Québec-Ouest ;

Georges Lapalme, procureur général, député d'Outremont ;

René Hamel, ministre du Travail et des Affaires municipales, député de Saint-Maurice ;

Paul Gérin-Lajoie, ministre de la Jeunesse, député de Vaudreuil-Soulanges ;

Alcide Courcy, ministre de l'Agriculture et de la Colonisation, député d'Abitibi-Ouest ;

René Lévesque, ministre des Travaux Publics et des Ressources hydrauliques ;

Dr Charles-Aimé Kirkland, ministre d'État, député de Jacques-Cartier ;

Paul Earl, ministre des Mines, député de Notre-Dame-de-Grâce ;

Gérard Cournoyer, ministre des Transports et Communications, député de Richelieu ;

Bernard Pinard, ministre de la Voirie, député de Drummond ;

Émilien Lafrance, ministre du Bien-Être social, député de Richmond ;

Lionel Bertrand, secrétaire de la Province, député de Terrebonne ;

Le 5 juillet 1960, lors de la signature au registre des formules de serment des membres de l'exécutif, à la suite de mon assermentation comme ministre des Terres et Forêts. Moment solennel et fort émouvant. Léopold Desilets, greffier du Conseil exécutif m'indique l'endroit où je dois apposer ma signature. Il cache partiellement Georges Lapalme et Me Gérard Lévesque, de Québec. En arrière de moi, se trouvent le premier ministre Lesage et son chef de cabinet, Alexandre Larue.

Dr Alphonse Couturier, ministre de la Santé, député de Rivière-du-Loup;

Gérard D. Lévesque, ministre de la Pêche et de la Chasse, député de Bonaventure:

André Rousseau, ministre de l'Industrie et du Commerce, député de L'Islet;

Bona Arsenault, ministre des Terres et Forêts, député de Matapédia.

Le 6 juillet 1960, soit le lendemain de l'assermentation des ministres, un arrêté ministériel adopté sur la recommandation du premier ministre me désignait comme membre du Bureau de la Trésorerie, en compagnie de Paul Earl, ministre des Mines, et d'André Rousseau, ministre de l'Industrie et du Commerce. Au cours de la première session régulière du gouvernement Lesage, ce Bureau de la Trésorerie fut transformé en Conseil de la Trésorerie, ayant la responsabilité de scruter toutes les sorties de fonds du Trésor de la Province.

Lors de sa constitution au mois de mars 1961, le Conseil de la Trésorerie était composé des cinq membres suivants: le premier ministre Lesage, Bernard Pinard, ministre de la Voirie, André Rousseau, ministre de l'Industrie et Commerce, Georges Marler, ministre d'État, et moi-même. Je suis resté membre du Conseil de la Trésorerie jusqu'à la défaite du gouvernement, en 1966.

Le 5 juillet 1960 avait certes été l'un des plus grands jours de ma carrière politique. J'étais alors devenu membre du Conseil des ministres de la Province, où si peu sont élus sur le grand nombre de ceux et celles qui aspirent à ce poste prestigieux.

Jean Lesage ne laissait rien à l'improviste. Longtemps avant la date des élections générales du 22 juin 1960 il avait songé à la composition de son éventuel gouvernement. Car, aussitôt après le déclenchement de la campagne électorale de 1960, il avait l'assurance de devenir le premier ministre du Québec.

Un soir, au début du mois de juin 1960, alors que je me trouvais seul avec lui à sa résidence de la rue Bougainville, il me demanda à brûle-pourpoint quel ministère je préférerais avoir. Songeant à l'urgent besoin de procéder à la reconstruction de la route de ceinture de la Gaspésie, je lui ai immédiatement répondu: « la Voirie. »

C'est alors qu'il m'a dit que le ministère de la Voirie serait attribué à un ministre d'un district électoral de la région de Montréal, en raison des travaux très considérables de réseaux routiers qui y seraient entrepris. Il ajouta, sous le sceau du secret, qu'il me destinait au ministère des Terres et Forêts.

Aussi est-ce avec beaucoup d'étonnement que j'ai lu dans le troisième tome des mémoires de Georges-Émile Lapalme, publié chez Leméac en 1973 sous le titre de *Le paradis du pouvoir*, aux pages 75 et 76, l'anectote suivante:

> «Après notre victoire du 22 juin 1960, Jean Lesage me rencontrant à Montréal, convint avec moi de la formation du Conseil des ministres; Bona Arsenault en était exclu.

Le 1er janvier 1961, dans la salle du Conseil législatif devenue depuis le Salon rouge de l'Assemblée nationale, Jean Lesage recevait pour la première fois en qualité de premier ministre, en compagnie du lieutenant-gouverneur, Onésime Gagnon, les vœux des amis et visiteurs à l'occasion du Nouvel An. Il salue ici le docteur Gustave Auger, médecin de Québec de grande réputation. Je l'accompagne ici en cette circonstance.

Devant ma surprise, il me répondit qu'il ne pouvait absolument pas le nommer ministre à cause de sa campagne contre les *compagnies du papier*. Sa nomination créerait un tollé.

Il était 7 ou 8 heures du soir. Jean Lesage prenait l'avion peu après sans avoir changé d'idée. Le lendemain, vers 8 ou 9 heures du matin, Jean Lesage m'appelait de Québec pour me dire: « Tout ce que je t'ai dit hier soir, au sujet de Bona, tombe à l'eau. Je suis obligé de le nommer aux Terres et Forêts. Je t'expliquerai. »

Je n'ai jamais su ni connu, poursuit Georges-Émile Lapalme, la cause de ce renversement d'opinion ou d'alliance. »

D'ailleurs, ce témoignage de Georges-Émile Lapalme m'était corroboré, de façon indirecte, encore récemment par Henri A. Dutil, ancien secrétaire général de l'organisation libérale, intime ami et confident de Jean Lesage.

Henri Dutil m'a affirmé avoir reçu un appel téléphonique de Jean Lesage, quelques jours avant la cérémonie d'assermentation du 5 juillet 1960, au cours duquel Jean lui faisait part du chagrin qu'il ressentait de ne pouvoir donner suite à son intention de me nommer ministre de son gouvernement. Ce n'est qu'à la cérémonie d'assermentation qu'Henri Dutil a appris que Jean Lesage avait changé d'idée.

Il n'y a pas de doute qu'à l'époque, Jean Lesage a dû subir de fortes pressions contre ma nomination de ministre, en particulier comme titulaire des Terres et Forêts, de la part de certains milieux. Mais qu'en dernier ressort, se ravisant, il avait passé outre. Il ne m'en a jamais parlé, sans doute afin d'éviter de m'indisposer contre ceux qui s'étaient opposés à ma nomination comme membre de son cabinet.

Car en effet, au cours des années 1955 et 1956, j'avais participé à une véritable croisade en compagnie

Madame Jean Lesage, née Corinne Lagarde, en 1961, lors de l'ouverture de la Maison du Québec à Paris.

de représentants de l'Union Catholique des Cultivateurs (devenue l'Union des Producteurs Agricoles) dans la plupart des régions de la Province pour dénoncer les bas prix qui étaient alors offerts aux producteurs de bois de pulpe. Je ne m'étais pas fait alors que des amis.

À la suite de la cérémonie d'assermentation des ministres du nouveau gouvernement du Québec, j'avais accompagné Jean Lesage, pendant quelques minutes, à son bureau de premier ministre. C'était le même local qui avait été occupé par les premiers ministres Louis-Alexandre Taschereau et Maurice Duplessis. De ses grandes fenêtres, s'étendait alors une vue magnifique vers le sud-est, couvrant une grande partie de la ville, la rivière Saint-Charles, le fleuve Saint-Laurent, le commencement de la côte de Beaupré, puis plus loin encore, à l'horizon, les Laurentides se dessinant verdâtres, parfois bleuâtres.

Jean Lesage était ému. Après avoir jeté un long regard vers le splendide panorama qui s'offrait à sa vue, de l'une des fenêtres, il se retourna vers moi pour me dire: « C'est de cet endroit précis, où un jour, il y a exactement trente ans, Louis-Alexandre Taschereau, alors premier ministre libéral du Québec, m'annonça qu'il ne pouvait rien faire, ni pour moi ni pour notre famille, alors que nous étions dans le besoin. Mais maintenant, ce bureau de premier ministre est le mien. »

Il y avait trente ans, c'était au début de la crise économique de 1930, Jean Lesage, né le 10 juin 1912, l'aîné de sept enfants, était alors âgé de 18 ans. Il voulait alors poursuivre ses études, mais son père n'avait pas d'argent. S'armant de courage il avait réussi, malgré son jeune âge, à obtenir une entrevue auprès du premier ministre Taschereau. Ce qu'il avait considéré comme devant être une dernière planche de salut n'avait donné aucun résultat.

Fort en mathématique, il avait rêvé de devenir actuaire. Mais, comme il devait travailler durant toutes ses vacances pour payer lui-même ses cours, il ne pouvait se permettre des études trop coûteuses. C'est alors qu'il opta pour le droit.

Le 2 juillet 1938, Jean Lesage avait épousé Corinne Lagarde. Elle était douée d'admirables qualités qui sont à la source même des succès qu'il a remportés, au cours de sa fulgurante carrière.

Une vingtaine d'années plus tard, soit en ce 5 juillet 1960, Corinne partageait le bonheur de son mari, devenu le premier ministre du Québec, le sommet le plus élevé de l'autorité civile en notre province.

IV

DES ANNÉES D'INTENSE ACTIVITÉ

C'est Brian Upton, alors qu'il était courriériste parlementaire du *Montreal Star*, à Québec, qui avait employé pour la première fois dans son journal le terme de *Quiet Revolution,* qui fut traduit par *Révolution tranquille.* Devant l'ampleur des réalisations du gouvernement Lesage, à partir de 1960, Brian Upton avait ainsi décrit en deux mots cette profonde transformation de la société québécoise, s'effectuant sans heurt, sans choc, sans violence. C'est alors que Jean Lesage fut proclamé le Père de la Révolution tranquille, l'artisan de ce changement de vie au Québec.

Au cours des années, ce titre sera aussi attribué à d'autres personnages, ayant participé à l'époque, à différents degrés, à l'administration de la chose publique.

Puisque nous avons déjà les Pères de l'Église et les Pères de la Confédération, pourquoi n'aurions-nous pas aussi les Pères de la Révolution tranquille dont Jean Lesage fut le principal maître d'œuvre.

À part Jean Lesage et les membres de son cabinet, il se trouvait aussi des Pères de la Révolution tranquille dans le haut fonctionnarisme de la province, des hommes qui ont souvent exercé plus d'influence à l'époque sur le destin du Québec, que certains membres du gouvernement Lesage. Ils avaient surtout pour noms: Arthur Tremblay, Claude Morin, Jacques Parizeau, Claude Castonguay, René Arthur et Michel Bélanger.

Mais, les deux plus importantes contributions à la mise en œuvre de la Révolution tranquille, sont venues de Georges-Émile Lapalme, qui en avait été le grand architecte, lors de l'élaboration du programme du Parti libéral, de 1960, et de Jean Lesage qui, en sa qualité de premier ministre, en fut le principal réalisateur.

Jean Lesage, homme politique

Au début de sa carrière, Jean Lesage avait été membre de l'une des études légales les plus importantes de la ville de Québec. De 1939 à 1944, il fut procureur de la Couronne. Travailleur acharné, il préparait minutieusement ses causes et il avait la riposte facile.

Durant la dernière guerre il avait fait partie de la 6e Brigade de l'Artillerie de l'armée de réserve, où il a obtenu le grade de capitaine. Il avait aussi été instructeur d'artillerie au CEOC Laval.

Avant sa nomination de ministre du Nord canadien et des Ressources nationales, en 1953, à Ottawa, il avait été adjoint du secrétaire d'État aux Affaires extérieures et adjoint parlementaire du ministre des Finances.

Chacun des divers postes que Jean Lesage avait occupés, avant de devenir le premier ministre du Québec, avait influencé son caractère et son comportement. Habile avocat, il était imprégné de l'esprit légal. Pour discuter de choses sérieuses il lui fallait, devant lui, des documents pertinents auxquels il pouvait reférer.

Son stage dans l'armée l'avait habitué au commandement. Lorsqu'il donnait des ordres, il ne badinait pas. Il fallait qu'ils soient exécutés et tout de suite. «Je veux que ce soit fait *hier*» a-t-il souvent répété. Il était lui-même extrêmement expéditif. Combien de fois, alors que j'étais ministre, a-t-il répondu non seulement le même jour, mais en l'espace de quelques heures par messager à une communication que j'avais fait parvenir à son bureau. Et, lorsqu'il décidait de rejoindre l'un de ses conseillers, que ce soit le jour ou la nuit, il lui fallait l'atteindre sans retard, comme en fait foi la lettre qu'il m'avait fait adresser par René Arthur, son secrétaire particulier, en date du 7 octobre 1960, et dont la photocopie se trouve à la page suivante.

C'est surtout aux Affaires extérieures, où il avait passé deux ans comme adjoint du ministre, à Ottawa, où Jean Lesage réalisa davantage l'importance de la ponctualité, la politesse des rois et du monde de la diplomatie. Jamais un premier ministre du Québec n'a observé une plus rigoureuse ponctualité que Jean Lesage. Il était toujours le premier arrivé partout: aux réunions des députés, au Conseil des ministres ou aux séances de l'Assemblée nationale.

Quel contraste avec Maurice Duplessis qui arrivait toujours en Chambre en retard, fumant son gros cigare, pendant que toute la députation attendait patiemment! Car, rien ne bougeait lors des séances de l'Assemblée législative à l'époque tant que Duplessis n'était pas arrivé.

CABINET DU PREMIER MINISTRE

PROVINCE DE QUÉBEC

Le 7 octobre 1960

L'honorable Bona Arsenault
Ministre des Terres et Forêts
Hôtel du Gouvernement
Québec

Monsieur le Ministre,

Il arrive parfois que le Premier ministre désire vous consulter dans la soirée et que nous nous demandions, lui et moi, où nous pourrions bien vous appeler au téléphone.

Si je n'abuse pas de votre bonté, puis-je, à la suggestion du Premier ministre lui-même, vous demander de me fournir une liste de tous les numéros où il serait possible de vous rejoindre?

Vous pourriez indiquer dans cette liste le numéro de votre résidence, de votre bureau, etc.

Je vous prie d'excuser ce qui semble une véritable inquisition, mais il s'agit, vous en conviendrez, d'une inquisition qui peut s'avérer fort utile et dont, du reste, vous êtes le seul juge. En effet, je vous prie de juger quels renseignements aussi complets que possible vous pourriez me fournir pour que, advenant un cas d'urgence, le Premier ministre soit en mesure de communiquer aussi rapidement que possible avec vous.

Veuillez croire toujours, Monsieur le Ministre, à mes sentiments les meilleurs.

René Arthur

René Arthur
Secrétaire particulier du
Premier ministre

Au cours de son stage comme adjoint du ministre des Finances à Ottawa, Jean Lesage s'était familiarisé avec l'administration et le contrôle des finances publiques, qui étaient devenues l'un de ses domaines préférés. Aussi avait-il conservé le portefeuille des Finances dans le gouvernement du Québec, en même temps qu'il était premier ministre.

Jean Lesage symbolisait l'optimisme. Ayant toujours réussi dans la vie il se comportait partout en vainqueur. Impulsif de nature, il pouvait parfois faire preuve d'une patience à toute épreuve. La grandeur et la richesse l'éblouissaient mais ne lui firent jamais perdre la tête.

Jean Lesage n'avait pas que des qualités, mais il avait tellement de qualités. On le disait un peu vaniteux, coquetterie qu'il a partagé d'ailleurs avec plusieurs de ceux qui ont connu les plus grands succès. Il lui arrivait parfois d'avoir de petites cachotteries sans importance, mais empreintes d'une grande naïveté. Ce qui surprenait chez un homme de son calibre.

Ce qui pouvait être interprété à tort, chez Jean Lesage, comme étant de l'arrogance, était plutôt de la réserve, issue de son extraordinaire force de caractère. Il pouvait même être très dur parfois, pour certains de ses meilleurs amis, lorsqu'il les prenait véritablement pour acquis. Au contraire, il était souvent extrêmement conciliant à l'endroit d'un quidam qu'il craignait et qu'il s'efforçait d'amadouer.

Le premier souci de Jean Lesage, durant toute sa vie, avait toujours été sa famille qu'il affectionnait profondément: son épouse, Corinne, son meilleur conseiller, et ses quatre enfants Jules, René, Marie et Raymond.

Bien qu'il donna parfois l'impression de tout faire seul, Jean Lesage prenait souvent conseil auprès d'amis intimes dont il avait éprouvé la sûreté de jugement. Jamais il ne prenait une décision importante sans solliciter le point de vue de l'un ou de l'autre, voire même de plusieurs d'entre eux, selon leur compétence sur le sujet qui pouvait l'intéresser.

Les conseillers de Jean Lesage

Dans le livre intitulé *Les Mandarins au pouvoir*, publié en 1978, aux Éditions Québec-Amérique, par le journaliste Pierre O'Neill et le politicologue Jacques Benjamin, professeur à l'université Simon Fraser de la Colombie Britannique, l'on trouve une nomenclature des principaux conseillers de Jean Lesage.

> «Jean Lesage, soulignent Messieurs O'Neill et Benjamin, administrait avec collégialité. Il ne décidait rien sans que trois ou quatre autres ministres n'aient pris connaissance de tous les dossiers.
>
> Ceux qui ont eu le plus d'influence sur sa politique sont: Maurice Sauvé, Me Claude Ducharme, Bona Arsenault et, chez les hauts fonctionnaires: Claude Morin (Affaires Intergouvernementales), Arthur Tremblay (Éducation), Michel Bélanger (Richesses naturelles), Jacques Parizeau (Finances), Claude Castonguay (Rentes).»

Jean Lesage consultait sans doute plusieurs autres personnes, telles que son frère Alexandre, devenu juge; Henri A. Dutil, un ami intime, et Georges Marler, qu'il avait nommé membre du Conseil législatif et du Conseil des ministres. Il avait une grande confiance en cet homme habile et pondéré, ayant une longue expérience, puisqu'il avait siégé à Québec, de 1942 à 1952.

Georges Marler avait aussi été ministre des Transports à Ottawa, de 1954 à 1957, donc son collègue dans le gouvernement de Louis Saint-Laurent. De plus, Georges Marler exerçait une influence considérable dans les milieux financiers de Montréal de même que sur l'élément de langue anglaise de la Province.

Les conseils que Jean Lesage pouvait solliciter auprès d'un certain nombre de ses meilleurs amis, visaient surtout à confirmer ou infirmer des décisions qu'il avait déjà arrêtées d'après son propre jugement personnel. Il n'hésitait pas à changer d'idée lorsqu'on pouvait lui prouver qu'il avait tort. Cela lui était d'ailleurs arrivé souvent à ma connaissance.

Parfois, il pouvait se faire l'avocat du diable, en soutenant une argumentation tout à fait contraire à sa pensée intime, dans le seul but de déclencher plus sûrement une réaction de son interlocuteur. Il appelait cela *tirer la pipe*.

Il ne faudrait cependant pas croire que Jean Lesage suivait aveuglément les conseils qu'il recevait ou encore qu'il sollicitait tels conseils parce qu'il se méfiait de son propre jugement. Il me l'a souvent répété. Un premier ministre d'un pays ou d'une province se sent parfois terriblement seul. Les décisions qu'il est appelé à prendre sont importantes et nombreuses. C'est alors qu'il apprécie le réconfort de l'appui moral d'un ami.

Il peut arriver qu'une décision bien anodine en apparence puisse comporter une grande signification pour des années à venir. Ainsi, quelques jours après l'assassinat à Dallas au Texas, le 22 novembre 1963, du président des États-Unis, John F. Kennedy, une messe de Requiem avait été célébrée en la basilique-cathédrale de Québec à sa mémoire, par Monseigneur Lionel Audet, évêque auxiliaire. J'accompagnais Jean Lesage à cette cérémonie.

Au retour, Jean me demanda à brûle-pourpoint ce que nous pourrions bien faire pour perpétuer la mémoire du président Kennedy en sol québecois. J'avais moi-même réfléchi à ce sujet, car connaissant bien Jean Lesage je m'attendais un peu à sa question. C'est alors que je lui ai suggéré de donner à la route Lévis-Jackman, couvrant le parcours direct de Lévis à Boston, patrie des Kennedy, le nom de route Président-Kennedy.

Quelques heures plus tard, Jean Lesage obtenait l'accord en ce sens de Bernard Pinard, alors ministre de la Voirie. Depuis ce jour, cette route qui traverse le magnifique territoire de la Beauce, s'étendant jusqu'aux frontières américaines, porte et portera dans l'avenir le nom du président américain assassiné. Chaque année, des milliers de touristes américains, s'engageant sur cette voie très fréquentée, réalisent que la province de Québec n'a pas oublié John Fitzgerald Kennedy.

Les principaux collaborateurs immédiats de Jean Lesage à ses bureaux de premier ministre à Québec ont été: Alexandre Larue, son chef de cabinet, qui depuis 1925 fut l'homme de confiance de nombreux ministres, dont le premier ministre Adélard Godbout, et le secrétaire particulier et conseiller de plusieurs chefs d'opposition; René Arthur, une vedette de la radio éducationnelle possédant une remarquable culture générale; Gilberte Lacasse, sa première secrétaire, extrêmement compétente et dévouée, qui était aussi préposée à son agenda; Denys Paré, attaché de presse, de 1960 à 1966, avait aussi été l'un de ses plus fidèles compagnons de route dans l'épuisante fonction de sa besogne de premier ministre. Dans les dernières années de son mandat de chef de gouvernement, Guy Gagnon avait aussi été attaché à son service en qualité de secrétaire et de conseiller. Il avait activement participé à l'organisation de la lutte électorale de 1966.

Une vague de terrorisme

En 1964, Jean Lesage avait dû faire face à une vague de terrorisme qui commençait à déferler sur le Québec. Cette période de violence avait atteint son paroxisme en

Au mois d'août 1961, en l'absence du premier ministre Lesage, j'avais été chargé de présenter les hommages du gouvernement à Son Excellence le major général Georges P. Vanier, gouverneur général du Canada, et à madame Vanier, lors de leur arrivée à la Citadelle de Québec. Le gouverneur Vanier était le premier Canadien de langue française qui occupait cette haute fonction.

1970 avec l'assassinat de Pierre Laporte, alors ministre du gouvernement de Robert Bourassa.

Le 9 octobre 1964, la reine Élizabeth était arrivée sur son yacht royal à l'Anse-au-Foulon, à Québec, pour entreprendre une tournée au Canada. Dans la soirée une foule s'était assemblée au Centre Durocher, à Québec, pour protester contre la visite de la reine à Québec. Composé de militants séparatistes, ce rassemblement avait été dispersé par la police et des soldats de l'armée canadienne. À la sortie de la réunion, Jean Lesage qui, en sa qualité de premier ministre, devait être l'hôte de la reine, avait reçu des menaces contre sa famille, et craignait pour son jeune fils Raymond.

Le lendemain, alors que le cortège royal passait sur la rue Saint-Louis, en direction du Château Frontenac où avait lieu une réception officielle à laquelle j'ai assisté, des attroupements de manifestants s'étaient montrés hostiles à l'endroit de la reine et de son époux, le prince Philippe, qui l'accompagnait. On entendit des cris de « Vive le Québec libre. » Les forces de l'ordre étaient intervenues armées de gourdins. Il y avait eu des blessés et des arrestations. Ces incidents, qui avaient été répercutés par les médias d'information au pays et à l'étranger, avaient fait sensation. Claude Wagner était alors le ministre de la Justice dans le gouvernement du Québec et responsable du maintien de l'ordre en de telles circonstances. Certains journalistes à tendance séparatiste ont alors stigmatisé cette journée comme ayant été le « samedi de la matraque. »

À l'époque, des éléments gauchistes s'étaient infiltrés au sein du mouvement indépendantiste pour prêcher la haine et la violence. Plusieurs médias d'information, dont le journal *L'Action* de Québec, sous la signature de son rédacteur en chef, Lorenzo Paré, avaient dénoncé vertement cette infiltration gauchiste sous les couleurs indépendantistes.

Une lettre autographe de Jean Lesage

À l'automne de 1964, Jean Lesage avait fait un voyage en Europe, où il s'était rendu en Grèce et en France, en compagnie de Corinne, son épouse. À Athènes il avait été reçu par le roi Constantin, qui le décora de l'Ordre Royal du Phoenix et par l'université d'Athènes qui lui décerna un doctorat d'honneur.

À Paris, Jean Lesage avait été reçu par le président de l'Assemblée nationale française, Jacques Chaban-Delmas et par le président de la République, Charles de Gaulle.

Il arrivait assez souvent à Jean Lesage de m'écrire alors qu'il se trouvait en voyage à l'étranger. Ainsi, d'Athènes, il m'avait envoyé une carte pour me donner ses impressions de son arrivée, alors qu'il avait été chaleureusement reçu, ainsi que Madame Lesage, par Son Excellence Antonio Barrette, alors ambassadeur du Canada en Grèce et son épouse. On se souviendra qu'en 1960 Jean Lesage avait été porté au pouvoir en remportant la victoire sur Antonio Barrette, le premier ministre et chef de l'Union Nationale de l'époque.

De Paris, Jean Lesage m'avait également écrit une lettre dont le texte imprimé et la reproduction photographique se trouvent ci-après:

HÔTEL CONTINENTAL

3, rue de Castiglione

Paris, dimanche le 8 novembre 64

Mon cher Bona,

Merci beaucoup pour tes deux lettres du 30 oct. et ton mot personnel du 3 nov. J'ai reçu le tout en arrivant à Paris, avec un paquet de dossiers qui venaient de mon bureau.

J'ai lu le texte de ton discours et je t'en félicite comme mon confrère de classe l'abbé Antonio Marcotte l'a fait.

Malheureusement je crains bien ne pouvoir étudier ta proposition d'établir un nouveau ministère sinon sur l'avion de retour. Ici je suis totalement bousculé par un agenda surchargé. Hommes de la politique et des affaires, il faut que je les voie tous dans l'intérêt du Québec et de sa réputation: de ce côté la documentation que tu m'as envoyée m'aidera beaucoup.

Veuille saluer tous nos collègues. J'arriverai jeudi soir à Québec. Hommages de Corinne à ton épouse.

Amitié

Jean

HOTEL CONTINENTAL
3, RUE DE CASTIGLIONE
PARIS

TÉLÉPHONE 073-[illegible]-00 — 073-92-80
TÉLÉGR. CONTENTAL-PARIS
TÉLEX: CONTAL 22114 PARIS

Dimanche, le 8 novembre, 64

Mon cher Bona

Merci beaucoup pour tes deux lettres des 30 oct et ton mot personnel du 3 nov. J'ai reçu le tout en arrivant à Paris avec un paquet de dossiers qui venaient de mon bureau. J'ai lu le texte de ton discours et je te félicite comme mon confrère de classe l'abbé Antonio Marcotte l'a fait. Malheureusement je [illegible] [illegible] ne pouvoir étudier la proposition d'établir un nouveau ministère [illegible] [illegible] l'action du retour. Ici je suis totalement tourmenté par un agenda surchargé. Hommes de la politique et des affaires, il faut que je les voie tous dans l'intérêt du Québec et de sa réputation: de ce côté la documentation que tu m'as envoyée m'aidera beaucoup. Veuille saluer tous nos collègues. J'arriverai jeudi soir à Québec. Hommages de Corinne à ton épouse.

Amitié Jean

Jean Lesage et notre nationalisme

À l'été de 1963, Jean Lesage avait été invité à participer à la célébration du soixantième anniversaire de la Société L'Assomption, chez nos cousins acadiens de Moncton au Nouveau-Brunswick. Alors qu'un engagement antérieur l'empêchait de s'y rendre, il me délégua comme le représentant du Québec en cette circonstance.

Pour l'occasion, il prit le soin de rédiger une lettre qu'il me remit personnellement et qu'il me pria de lire en entier au banquet de clôture de cette célébration où je devais prendre la parole.

Jean Lesage avait attaché beaucoup d'importance à ce document représentant sa pensée intime et profonde en matière d'ordre constitutionnel. C'est pourquoi je le publie intégralement ici:

CABINET DU PREMIER MINISTRE

Province de Québec

le 2 juillet 1963

L'honorable Bona Arsenault
Secrétaire de la Province
Hôtel du Gouvernement
Québec

Mon cher Collègue,

Même si je vous ai prié de représenter le gouvernement du Québec à la célébration du 60e anniversaire de la fondation de la Société L'Assomption, n'allez pas croire que je l'ai fait de gaieté de cœur et sans éprouver de l'envie. Je voudrais donc, pour réparer l'injustice du sort qui vous accorde une joie dont je suis forcé de me priver, qu'en présentant mes vœux à nos frères acadiens vous leur disiez aussi combien nous demeurons près d'eux par le cœur et par nos aspirations.

Rien ne changera ma conviction profonde qu'eux et nous avons une mission commune. Toute idéologie politique qui ne tiendrait pas compte de ce fait à la fois ethnique et sentimental serait historiquement, économiquement, culturellement fausse. Ne pas le reconnaître, c'est s'enfouir la tête dans le sable en espérant que l'agitation politique violentera suffisamment la vérité pour l'empêcher de se venger par des phénomènes sociaux qui pourraient être extrêmement douloureux.

D'un océan à l'autre, tous les Canadiens d'expression française: Acadiens, Québécois, Ontariens, Canadiens des Prairies et Canadiens de l'Ouest, regardent enfin sans trop cligner des yeux la lumière trop crue et trop brutale de la réalité. Ils se rendent compte que *le protocole de la Confédération, c'est-à-dire d'un cérémonial sans âme, doit être changé.* Le «modus vivendi» doit être remplacé par quelque chose d'ardemment vécu, sinon, c'est permettre à l'irresponsabilité politique de se parer de ses attraits les plus faciles. Une attitude absolue donne une impression de force que des faibles, dans d'autres pays, ont, pour leur malheur, admirée dans le passé. Elle trahit en réalité une incapacité de saisir les nuances et elle n'est possible qu'à celui qui souffre de lacunes intellectuelles qui, en supprimant la vision complète, fait croire aveuglément aux mauvaises solutions.

C'est en étant le plus entièrement soi-même que l'on sert le mieux les autres, et c'est en nous réalisant que nous donnerons plus d'acuité au nationalisme canadien. Cela, il faut le répéter sans cesse à ceux qui nous comprennent et le faire comprendre aux autres. C'est en cela que je vois la mission commune dont je vous parle plus haut et c'est en insistant sur ce rôle de tous les Canadiens français que je voudrais expliquer à nos frères qui vivent en dehors du Québec le sens de l'évolution politique dans notre province.

Pourquoi certaines aspirations sont-elles maintenant plus aiguës qu'avant juin 1960? C'est qu'un régime, qu'il n'est pas calomnieux d'appeler réactionnaire, parce qu'il se voulait ainsi par conviction sincère, avait semblé prouver, même à ceux qui aspiraient à notre épanouissement, que nous étions, par une réalité tragique, voués à une docilité silencieuse et isolée. Mais la « Révolution tranquille » dans le domaine politique, économique, social et culturel que nous avons voulue, encouragée, exprimée et mise en marche, doit sa cause, sinon profonde du moins immédiate, à l'atmosphère d'affirmation de la personnalité canadienne-française qui est l'essentiel de notre politique.

Je crois sincèrement que si, dans le passé, (et je parle ici de phénomènes politiques internationaux) de telles attitudes ont pu inspirer une méfiance légitime, puisqu'elles étaient non pas un but mais un moyen destiné à la conquête du mouvement nationaliste, je crois sincèrement, dis-je, qu'aujourd'hui toutes les personnes de bonne volonté, dans le Québec comme dans le Canada tout entier, doivent se réjouir qu'un véritable nationalisme inspire les actions d'un gouvernement profondément démocratique, digne de conserver la confiance des partisans de la liberté qui ont, à juste titre, peur de tous les extrémistes.

Il faut que notre nationalisme sain rassure ceux dont l'unique raison de s'alarmer est la connaissance des pièges dans lesquels la démocratie est autrefois et si souvent tombée. Il faut que notre nationalisme prouve à tous que donner aux Canadiens d'expression française le statut de Canadiens à part entière, n'est pas du tout une façon de diminuer la liberté des anglophones qui demeurent dans les sphères d'influence française. Il faut que notre nationalisme fasse remarquer que si la crise de la Confédération est ethnique au point de vue culturel, elle est *territoriale* du point de vue économique ! J'emploie ici l'adjectif « territoriale » avec l'intention bien manifeste de prouver aux anglophones que nous avons partie liée et que ce serait un suicide mutuel que de ne pas reconnaître en conjuguant nos efforts, nos aspirations et, même, — et ici, je ne surprendrai que les esprits étroits — et même NOS REVENDICATIONS !

Dans sa lutte légitime pour sa dignité et sa fierté, dans son impatience justifiée de voir vivre enfin l'esprit de la Confédération, plutôt que d'en voir appliquer superficiellement la lettre, je crois que le Canadien français doit avoir non pas l'intransigeance émotivement systématique d'un enfant vexé, mais l'attitude ferme d'un adulte raisonnable. Voilà, selon, moi, la distinction essentielle et vitale entre l'intransigeant qui ne tient pas compte de la liberté des autres et l'homme inébranlable qui défend la sienne !

Veuillez, mon cher Collègue, croire toujours à mes sentiments les plus cordiaux.

Jean Lesage.

La Maison du Québec à Paris

Pendant que Jean Lesage accordait une première priorité à l'économie, Georges-Émile Lapalme, homme lettré, qui avait tout lu et écrivait admirablement bien, attachait une plus grande importance au domaine culturel. Ce fut peut-être là l'une des causes qui est à l'origine des différends qui, plus tard, s'étaient élevés entre ces deux hommes de grande valeur.

Nos retrouvailles avec la France, l'établissement de la Maison du Québec, à Paris, ont surtout été l'œuvre de

Georges-Émile Lapalme, procureur général et ministre des Affaires culturelles, lors de l'ouverture de la Maison du Québec à Paris en octobre 1961, en compagnie de Charles Lussier, premier délégué général du Québec à Paris.

Georges-Émile Lapalme. C'était l'un des premiers actes accomplis sous la Révolution tranquille.

Ainsi, dès le mois de septembre 1960, c'est Georges Lapalme, alors procureur général, qui s'était rendu à Paris pour jeter les bases de nouvelles relations privilégiées avec la France. Il n'était même pas encore titulaire du ministère des Affaires culturelles, qui ne sera formé que plus tard, soit au mois de mars 1961.

C'est alors que Georges Lapalme avait rencontré à Paris, à son bureau du Palais-Royal, André Malraux, ministre d'État chargé des Affaires culturelles de France, avec lequel il s'était lié d'amitié. Cette première entrevue, si bien réussie, avait ouvert la voie à toute une séries de rencontres entre ces deux hommes, tant à Paris qu'à Québec, dans l'intérêt des nouvelles relations qui avaient été établies entre le Québec et la France. C'est ainsi que les modalités de l'établissement de la Maison du Québec à Paris furent décidées.

André Malraux, pour lequel Georges Lapalme avait la plus grande admiration, était l'un des ministres les plus prestigieux du général De Gaulle et l'un des grands écrivains français de notre époque.

C'est André Malraux que le président Charles de Gaulle avait délégué comme son représentant personnel aux cérémonies de l'ouverture officielle de la Maison du Québec à Paris en octobre 1961. Le premier ministre Jean Lesage et Madame Lesage ainsi que Georges Lapalme et Madame Lapalme, et plusieurs autres ministres du gouvernement du Québec accompagnés de leurs épouses avaient également participé à cet événement historique.

Au soir de cette inauguration officielle, le président Charles De Gaulle et Madame De Gaulle avaient reçu à un dîner d'État à l'Élysée, en l'honneur du premier ministre Lesage et de son épouse, Corinne.

Initiateur du premier ministère des Affaires culturelles du Québec, dont il fut le premier titulaire, Georges Lapalme avait créé de toutes pièces la Délégation générale du Québec à Paris. Le premier délégué général, dont il recommanda la nomination, fut Charles Lussier, qui était déjà directeur de la Maison des Étudiants canadiens à Paris. Subséquemment, trois autres agences du Québec avaient été ouvertes en Europe: à Londres, Bruxelles et Milan. D'autres seront établies plus tard à Lafayette, en Louisiane et divers autres endroits des États-Unis, ainsi qu'à Mexico, par les gouvernements qui s'étaient succédés au cours des années. C'est en 1960 que l'élan avait été donné.

Le premier ministre Jean Lesage suivi de Georges-Émile Lapalme, ministre des Affaires culturelles, salués par la Garde d'honneur à leur sortie de l'Élysée, où le général et madame De Gaulle avaient reçu à un dîner d'État le premier ministre Lesage et son épouse Corinne, le soir de l'inauguration de la Maison du Québec à Paris, en octobre 1961.

André Malraux, l'un des plus grands écrivains français de notre époque et ministre des Affaires culturelles françaises, en compagnie de Jean Lesage, lors de l'ouverture de la Maison du Québec.

Au ministère des Affaires culturelles, Georges Lapalme avait mis sur pied, entre autres services, la Direction générale des Arts et des Lettres avec ses multiples ramifications; l'Office de la langue française, la Commission des monuments historiques et le Département du Canada français d'outre-frontières. Il avait multiplié les échanges culturels entre le Québec et la France sous diverses formes. Son sous-ministre et principal collaborateur, Guy Frégault, était l'un de nos plus éminents historiens.

Le départ de Georges Lapalme

Malgré ces spectaculaires réalisations et d'autres encore que j'aurais pu signaler, accomplies en sa qualité de procureur général, Georges-Émile Lapalme se trouvait sans doute plus heureux quand il était le chef dans son petit village de l'opposition où il avait séjourné pendant huit ans, que lorsqu'il était devenu le sous-chef dans l'éblouissant royaume où Jean Lesage était devenu le souverain.

Un peu idéaliste, parfois susceptible, défiant, n'ayant pas la même conception de l'administration de la chose publique qu'en avait Jean Lesage, pas plus d'ailleurs que les mêmes méthodes de travail, Georges Lapalme ne sut pas toujours s'adapter à l'application de certaines contraintes érigées en système, qui avaient parfois entravé ses moyens d'action.

Il l'écrit lui-même, aux pages 226 et suivantes du troisième tome de ses *Mémoires*, publiés chez Leméac:

> «Après 1962, on sentait craquer la cohésion. On aurait dit que chacun y allait pour soi, ce qui était probablement vrai. Paul Gérin-Lajoie, sans s'occuper des autres, commençait à bâtir son empire dont les structures aujourd'hui ébranlées coûtaient un prix fou. René Lévesque, dans une parfaite indiscipline, accablait les autres par sa popularité sans cesse cultivée à la radio et à la télévision. Les Affaires culturelles disparaissaient derrière des mots quand elles n'étaient pas tout simplement renvoyées chez elles à cause d'un bout de route ou d'un ponceau qu'il fallait payer avec «de la belle argent» qu'on ne prenait jamais au ministère de l'Éducation. Au contraire, celui-ci prenait tout, partout. Devant l'ampleur que prenaient les dépenses de l'Éducation, je voyais se rapetisser la Culture qui, à mon avis

d'hier et d'aujourd'hui, est infiniment plus noble et essentielle que l'Éducation.

On peut vivre sans instruction; on n'existe pas, on ne laisse aucune trace si on est sans culture. Avant l'invention de l'écriture il y eut des cultures extraordinaires..... Nos Indiens sont le plus bel exemple de ce jugement de valeur.

....

La ligne de partage des eaux, c'était donc le budget. Et le budget, c'était quoi dans le fond? C'était la chose du Conseil du Trésor apporté d'Ottawa par Jean Lesage afin de mettre de l'ordre dans la pagaille qui régnait aux finances. Et le Conseil du Trésor, c'était qui? C'était d'abord le domaine particulier du Premier ministre. Mais cela devint assez tôt une partie de poker entre les ministres et A. J. Dolbec (le secrétaire du Conseil du Trésor). Mais Dolbec, par la grâce de Jean Lesage, possédait toutes les cartes majeures.

Comme il est mon pire souvenir de l'Administration et qu'il fut la cause directe de ma démission, je m'arrête auprès de ce fonctionnaire intègre mais plié aux exigences les plus ténues.......... »

Ayant moi-même fait partie du Conseil de la Trésorerie pendant six ans, soit de 1960 à 1966, je puis affirmer que Georges Lapalme n'avait pas été le seul ministre ayant été parfois déçu de certaines décisions de cet organisme. Mais Georges Lapalme, en raison de son tempérament et des circonstances particulières dans lesquelles il se trouvait, en avait été affecté plus que d'autres. Faut-il ajouter qu'il avait parfois d'incompréhensibles réflexes d'enfant gâté. Son émotivité, le poids de son ressentiment toujours durable à l'endroit de quelqu'un pouvaient influencer son jugement au point de lui faire commettre des coups de tête insensés. Dans ces moments tragiques aucune discussion objective n'était possible avec lui.

Pourtant, en d'autres circonstances, alors qu'il se trouvait dans l'intimité de ceux qu'il considérait ses amis, Georges Lapalme pouvait être, il y a une vingtaine d'années, un compagnon vraiment agréable, bien que chroniquement pessimiste. Volubile, fin causeur, espiègle même, à ses heures, il pouvait s'instituer l'attraction principale de toute réunion improvisée.

Il ne saura jamais jusqu'à quel point il a pu désappointer le plus grand nombre de ses meilleurs amis, lorsque le 3 septembre 1964, il avait adressé à Jean Lesage sa démission comme ministre du cabinet. Il demeurait temporairement député d'Outremont.

Au bas de la page 256 du troisième tome de ses *Mémoires*, apparaissent les trois paragraphes suivants:

> « Cette rupture radicale et violente trouvait évidemment ses éléments dans une source lointaine, mais l'accélération d'événements récents venait de faire déborder le vase et m'avait définitivement décidé de me déprendre du filet politique.
>
> Au cours du mois d'août nous avions, Jean Lesage et moi, échangé une correspondance acerbe qui conduisait fatalement à un tel dénouement.
>
> C'était maintenant chose faite. Il n'y aurait pas de retour. »

L'aboutissement logique d'une malheureuse suite de conflits, c'est ainsi que Georges Lapalme mettait fin à une carrière politique qui aurait encore pu être autrement plus profitable à sa province et à son parti.

La récolte était abondante

La Révolution tranquille, mise en œuvre par Jean Lesage et son *équipe du tonnerre* en 1960, avait suscité de profondes transformations dans tous les domaines de l'activité humaine au Québec, qui avaient affecté tous les ministères du gouvernement, à divers degrés.

Cette colossale entreprise, après sa mise en orbite, poursuivit sa trajectoire, voire même après le départ de ses promoteurs des lieux du lancement. Son action irrésistible continuera de se répercuter dans toutes les directions du Québec pendant de longues années, peut-être même jusqu'à la tenue des Jeux olympiques à Montréal en 1976. Il n'aurait plus été possible de faire marche arrière.

Outre les initiatives prises par le ministère des Affaires culturelles, déjà mentionnées, citons à titre d'exemples, la nationalisation de l'électricité, comportant l'aménagement hydro-électrique du complexe Manicouagan-Outardes et plus tard celui de La Grande, à la baie James; la transformation et la modernisation de notre système d'éducation, d'où la naissance des polyvalentes, des cégeps, de la gratuité des études secondaires, l'établissement d'un régime d'allocations scolaires et de prêts aux étudiants, ainsi que la création de l'Université du Québec. Les changements apportés au réseau hospitalier prévoyant la gratuité des soins médicaux, par l'institution de l'assurance-hospitalisation et de l'assurance-santé universelles.

Parmi les principaux organismes nés de la Révolution tranquille se trouveront la Société générale de financement, le Conseil d'orientation économique, le Régime des rentes, la Caisse de dépôt et de placement, la Société d'exploitation minière, l'Office des autoroutes et l'Office du tourisme.

Notons ici que la Caisse de dépôt et de placement, créée par Jean Lesage, a le mandat de faire fructifier les contributions versées par les Québécois au Régime des rentes du Québec. C'est le fonds de pension collectif de la population québécoise. La Caisse de dépôt possède aujourd'hui un portefeuille d'actions de près de trois milliards, soit le plus important au Canada. Le total des fonds qu'elle administre s'élève toutefois à plus de quinze milliards.

Autres réalisations

Le gouvernement Duplessis avait toujours obstinément refusé d'accepter les subventions qu'Ottawa destinait à la construction du réseau de la route Trans-Canada, au Québec, ainsi qu'à la réalisation de multiples autres projets relevant de la compétence de la Province. Dès son arrivé au pouvoir, en 1960, Jean Lesage s'était empressé d'aller récupérer ces fonds pour les faire servir à l'amélioration des services que son gouvernement voulait rendre à la population. Jean Lesage avait aussi obtenu des autorités fédérales une revision complète, à l'avantage du Québec, de la formule de péréquation ainsi que l'encaissement de l'équivalence fiscale inconditionnelle, dans le cas des subventions fédérales devant être versées aux universités.

C'est ainsi que le gouvernement fédéral avait alors versé à la province de Québec des centaines de millions qui, sous un régime d'Union Nationale, eussent été irrémédiablement perdus. Ces millions ainsi récupérés avaient été attribués à divers ministères, dont ceux de la Voirie, des Transports, et du ministère des Terres et Forêts, dont j'étais alors le titulaire.

C'est grâce à la participation financière d'Ottawa, si la construction du réseau de la route Trans-Canada au Québec fut entreprise par le gouvernement Lesage dès 1961. Elle fut complétée sur une distance de plus de 600 kilomètres, allant de la frontière de l'Ontario jusqu'à Edmundston au Nouveau-Brunswick.

Il y avait eu de plus, l'amélioration de nos nombreuses autres voies de communication, au coût de plusieurs centaines de millions, notamment dans les régions de Montréal, Trois-Rivières, Drummondville, Québec, de même qu'en Gaspésie, sous la direction de Bernard Pinard alors ministre de la Voirie.

Comme complément essentiel à l'amélioration du réseau routier à travers la Province, notamment par la construction de nombreuses autoroutes, trois nouveaux ponts avaient été érigés pour relier les deux rives du fleuve Saint-Laurent à Montréal, Trois-Rivières et Québec: le pont-tunnel Louis-Hyppolite-Lafontaine, sous le fleuve, à la hauteur de Boucherville, le pont reliant Trois-Rivières à Bécancour et le pont Pierre-Laporte, à Québec.

Le pont Pierre-Laporte, conçu dans les années de la Révolution tranquille, avait été inauguré sous le gouvernement de Robert Bourassa, à l'automne de 1970, quelques semaines après l'assassinat du ministre Pierre Laporte. Ce pont devait être connu sous le nom de pont Frontenac. On lui attribua le nom de Pierre Laporte pour perpétuer la mémoire du ministre disparu dans les circonstances tragiques que nous connaissons.

C'est également le gouvernement Lesage qui, à l'époque, présida à l'édification de la Cité parlementaire, sur le quadrilatère formé par les rues Saint-Cyrille, Turnbull, Claire-Fontaine et Saint-Amable, dont les complexes G et H, sur la colline parlementaire.

Et ce ne sont là que quelques illustrations des incalculables réalisations du gouvernement de Jean Lesage, à l'époque de la Révolution tranquille.

V

AUX TERRES ET FORÊTS

Plusieurs de mes amis et connaissances savent bien qu'avant de devenir ministre des Terres et Forêts j'avais déjà été bûcheron. Ils comprendront mieux les sentiments que j'ai éprouvés le jour où j'ai franchi la porte d'entrée de mon quartier général, à ce ministère. C'était au lendemain de mon assermentation, le mercredi 6 juillet 1960.

Le spacieux bureau pourvu d'antichambres qui était devenu le mien, était situé au deuxième étage de l'édifice A, sur la colline parlementaire. Ses murs étaient recouverts d'antiques boiseries de chêne projetant une atmosphère à la fois sévère et accueillante. Il avait servi de cabinet de travail à Honoré Mercier, à l'époque où il fut le premier ministre du Québec, jusqu'en 1892, en même temps qu'il était le député de Bonaventure, mon comté natal. Une profonde impression m'est restée de la prise de possession de ces prémices, au caractère aussi historique qu'utilitaire.

Une grande richesse naturelle

La stabilité économique de notre province repose, dans une très grande mesure, sur la prospérité de notre industrie forestière, laquelle procure directement ou indirectement le tiers du revenu de notre population.

C'est pour cette raison que le gouvernement Lesage, à l'heure de la Révolution tranquille, s'était fixé comme objectif la mise en œuvre d'une politique vigoureuse, propre à assurer le développement rationnel de nos richesses fo-

À mon bureau des Terres et Forêts, en 1960, recevant mes amis de la Louisiane: le docteur Thomas J. Arceneaux et sa charmante épouse, Carita.

restières, tout en assurant la conservation d'un héritage aussi précieux.

Le ministère comprenait alors deux grandes sections: l'administration des terres et celle des forêts.

C'est de l'administration des terres que relevaient: l'arpentage des terres de la Couronne, la topographie, la division territoriale, la cartographie, le service technique du cadastre, la conservation du cadastre et le service de la vente et de la location des terres.

De son côté, le Service forestier groupait: le bureau de l'économie forestière, le bureau des permis spéciaux, le bureau des réserves cantonales et de reboisement, le bureau des exploitations forestières, le bureau du mesurage et de la classification des bois, le bureau de l'enregistrement des permis de coupe, le bureau de renseignements forestiers, le bureau de la petite industrie et de la statistique forestière, le bureau des bois, le bureau des scieries et érablières et celui de la sylviculture et de la botanique.

Le ministère possédait également une station forestière à Duchesnay. C'était à la fois une forêt expérimentale, un centre d'enseignement forestier et une station de recherches forestières. C'était aussi le site de l'École de protection des forêts, du laboratoire du bureau d'entomologie et de la station expérimentale du bureau de climatologie, trois organismes relevant du Service de la protection.

À mon arrivée au ministère des Terres et Forêts, il se trouvait trois sous-ministres: Édouard Guay, Roland Deschamps et Jean-Marie Bourbeau. Quelques mois plus tard, Fernand Boutin succéda à Édouard Guay qui avait pris sa retraite.

Peu après, en raison de l'augmentation du nombre des services, Jean-Pierre Giroux est venu se joindre à cette équipe de sous-ministres. Il y avait alors aux bureaux du ministère quatorze chefs de service. L'équipe extérieure comprenait quinze chefs de district.

Yvon Poulin fut mon premier chef de cabinet. Paul Brown, qui lui succéda, est devenu par la suite sous-ministre au ministère de la Chasse et de la Pêche. Gilberte Boudreau, ma secrétaire, me fut extrêmement dévouée. En dépit des fluctuations de mon caractère, elle passa quinze ans à mon service, me suivant pas à pas dans les bonnes comme dans les mauvaises années.

À l'époque, le ministère des Terres et Forêts comptait quelque 700 employés permanents tels qu'ingénieurs forestiers, arpenteurs-géomètres, techniciens, inspecteurs

En compagnie de Son Éminence le cardinal Maurice Roy au congrès des ingénieurs forestiers qui eut lieu au Château Frontenac à Québec, le 28 octobre 1968.

et mesureurs de bois; en plus d'environ 4 000 employés temporaires ou saisonniers, dont des gardes forestiers, garde-feu et ouvriers forestiers. De plus, quelque 200 ingénieurs forestiers et arpenteurs-géomètres obtenaient des contrats d'inventaire forestier et d'arpentage, pour quelques millions de dollars par année.

Les problèmes forestiers de la Gaspésie

Comme ministre des Terres et Forêts, j'avais dirigé mes premiers regards vers mon pays, la Gaspésie, alors aux prises avec d'importants problèmes forestiers.

L'exploitation forestière avait toujours été l'une des principales sources de subsistance de la population gaspésienne, en particulier de celle habitant le versant sud de la Gaspésie, dans les comtés de Gaspé, Bonaventure et Matapédia. De plus, à l'époque de l'arrivée au pouvoir du gouvernement Lesage, en 1960, la situation économique de cette vaste région était particulièrement mauvaise.

Dans la partie sud du comté de Gaspé, l'usine de la Gaspésia Pulp C° située à Chandler périclitait, faute d'un marché stable et rémunérateur pour les produits de la pâte de pulpe qu'elle fabriquait, de même qu'en raison de l'insuffisance de ses sources d'approvisionnement en matières premières, propres à lui assurer son expansion.

Dans le comté de Bonaventure, où il n'existait aucune usine de fabrication de pulpe ou de papier journal, la plupart des grandes scieries, dont celle d'André Lacroix, à Carleton, étaient fermées ou ne fonctionnaient qu'au ralenti, en raison surtout du manque d'approvisionnement de bois, à distance raisonnable. Il en était de même des principaux industriels en bois de sciage du comté de Matapédia.

Quant aux cultivateurs, propriétaires de lots boisés, ils éprouvaient de grandes difficultés à écouler leur bois de pulpe sur le marché et ils en recevaient souvent un prix vraiment trop bas. Comme ceux d'ailleurs du reste de la Province.

Dans la partie centrale du comté de Bonaventure, la compagnie Bathurst Power and Paper, devenue Les Papeteries Bathurst, possédait de vastes territoires forestiers qui n'étaient que partiellement exploités. Ils servaient uniquement à alimenter une usine à Bathurst, au Nouveau-Brunswick, situé à une trentaine de milles de distance, du côté opposé de la baie des Chaleurs. Le bois de pulpe était transporté de Bonaventure à Bathurst au moyen de radeaux, par temps calme. Cette traversée du bois dans la province voisine avait été dénoncée, pendant une cinquantaine d'années, par la population du comté de Bonaventure.

Dans la partie ouest du comté, la compagnie International Paper détenait également des limites forestières dont elle se servait pour alimenter son usine de papier journal aussi située au Nouveau-Brunswick, à Dalhousie.

Pas une seule corde de bois provenant des concessions forestières exploitées par ces deux compagnies, dans le comté de Bonaventure, n'était transformée en pâte de pulpe ou en papier journal dans le comté de Bonaventure. À mon arrivée au ministère des Terres et Forêts, j'étais bien déterminé à mettre fin à une telle situation.

Par ailleurs, dans le comté de Matapédia, où j'avais été élu député, ainsi que dans les comtés voisins de Matane et de Rimouski, il y avait d'abondantes croissances de tremble, une variété de peuplier, sur les lots boisés des cultivateurs, pour lequel il n'existait pas de marché. Le bois de tremble n'étant pas employé dans la production de papier journal, il fallait lui trouver un autre débouché.

Voilà, en résumé, quelques-uns des principaux problèmes qui hantaient mon esprit au moment d'entreprendre mon nouveau métier de ministre des Terres et Forêts. Par la suite, il en est survenu bien d'autres.

À la soirée de la Forêt, du carnaval de Québec, le 2 février 1961, en compagnie du maire Wilfrid Hamel, m'exerçant de nouveau à un métier que j'avais bien connu dans ma jeunesse. Wilfrid Hamel avait également été ministre des Terres et Forêts sous le gouvernement d'Adélard Godbout, de 1939 à 1944.

L'usine de papier journal de New-Richmond

Avec l'autorisation de Jean Lesage et la collaboration de mon collègue, Gérard D. Lévesque, député de Bonaventure, j'ai commencé par communiquer avec E.-A. Irwin, alors président de la Bathurst Power and Paper Company, dont les bureaux étaient à Montréal. Lors d'une première entrevue que nous avons eue au ministère des Terres et Forêts à Québec au mois de septembre 1960, j'ai prévenu Monsieur Irwin, à moins que sa compagnie ne cessât de transporter le bois de ses limites de Bonaventure à Bathurst et qu'elle n'envisageât l'établissement, dans les meilleurs délais, d'une usine dans Bonaventure, que des procédures en expropriation des concessions forestières détenues par sa compagnie pourraient être entreprises par le gouvernement. Jean Lesage, en sa qualité de premier ministre, m'avait autorisé à lui servir cette mise en demeure.

Dès le début de 1961, le président Irwin me communiquait officiellement la décision prise par sa compagnie, Les Papeteries Bathurst, d'ériger une grande industrie de papier *Kraft* à l'endroit le plus propice dans le comté de Bonaventure. Lors d'une entrevue subséquente, il m'avait cependant informé que ce n'était pas avant quelques années qu'un tel projet, évalué à plusieurs centaines de millions de dollars, pouvait être réalisé.

D'autant plus, qu'à la suite de la nationalisation de l'électricité en 1962, il fallait attendre que les lignes à hautes tensions transportant le courant électrique en quantité suffisante et à des taux compétitifs puissent atteindre les rivages de la baie des Chaleurs en Gaspésie pour que cette éventuelle industrie puisse en tirer profit.

En attendant, faisant suite à ma demande, le président Irwin autoriserait l'érection d'une scierie temporaire dans la région de New-Richmond, dans le comté de Bonaventure, et accepterait au nom de sa compagnie d'accorder des coupes de bois supplémentaires à des industriels locaux de façon à créer à court terme le plus grand nombre d'emplois possible.

En 1964, alors que l'usine de la compagnie Bathurst était en voie de construction, à New-Richmond, je n'étais plus ministre des Terres et Forêts. J'étais devenu secrétaire de la Province. Gérard D. Lévesque fut alors invité à poser la première pierre de l'édifice, sur laquelle on peut lire l'inscription suivante:

Cette pierre a été posée par l'honorable Gérard D. Lévesque, ministre de l'Industrie et du Commerce et député de Bonaventure à l'Assemblée législative, le 22 août 1964.
Les Papeteries Bathurst Limitée
New Richmond, Québec

L'établissement de cette importante industrie avait été la réalisation de l'un de mes plus beaux rêves de fils du comté de Bonaventure, devenu ministre des Terres et Forêts.

C'était la fin de l'exportation du bois de pulpe du comté de Bonaventure, à Bathurst, au Nouveau-Brunswick, par voie de la baie des Chaleurs, épineux problème dont personne jusque-là n'avait trouvé la solution.

Les opérations de l'usine de la compagnie Bathurst, à New-Richmond, ont débuté à l'été de 1965. Son inauguration officielle avait été fixée, en consultation avec le premier ministre Lesage, pour le 17 juin 1966, soit après la tenue des élections générales. Des préparatifs avaient été mis en branle pour la circonstance, une liste d'invités avait été dressée, le premier ministre Lesage devait être l'hôte d'honneur de cette manifestation.

Or, au soir du 5 juin 1966, le gouvernement Lesage était défait. Daniel Johnson, le chef de l'Union Nationale, était devenu le premier ministre de la Province. Gérard D. Lévesque et moi n'étions plus ministres. La compagnie Bathurst avait cependant eu la courtoisie de m'inviter à cette inauguration. En cette occasion, E.-A. Irwin, le président de la compagnie, avait aimablement rappelé nos premières entrevues, qui avaient été à l'origine de l'établissement de cette entreprise.

En commémoration de cet événement, une plaque-souvenir fut alors apposée près de l'entrée principale de ce complexe industriel, indiquant que les opérations de l'usine avaient commencé le 29 août 1965 et que l'ouverture officielle en avait été faite par Gérard D. Lévesque, député de Bonaventure, le vendredi 17 juin 1966.

L'usine de papier journal de Chandler

Le cas de la Gaspésia Pulp à Chandler, dans la partie sud du comté de Gaspé, était bien différent. Située à une cinquantaine de milles de New-Richmond, cette entreprise manquait de source d'approvisionnement en bois, à des coûts compétitifs, pouvant lui assurer son développement, sinon sa survie.

En été 1962, Jean Lesage et moi, avions été les invités du directeur général de la *Gaspesia Pulp and Paper Co.*, E.-L. Neal, au chalet de la compagnie à Chandler. Durant notre séjour, nous avons pu nous rendre compte de l'importance des travaux de transformation d'une fabrique vétuste de pâte à papier en une usine moderne de papier journal.

À l'époque, après la fin de la guerre de Corée, le marché de pâte à papier était tombé au point où la plupart des usines se spécialisant dans cette fabrication avaient dû diminuer radicalement leur production. Plusieur d'entre elles devaient discontinuer leurs opérations pour des périodes de temps indéterminées, en attendant l'arrivée des commandes.

C'était, en particulier, le cas de l'industrie de pâte de pulpe, de Chandler, qui ne pouvait procurer régulièrement du travail à ses employés.

Par contre, la demande pour le papier journal s'avérait plus prometteuse. Il était devenu évident que la survie de l'industrie de la Gaspésia, à Chandler, dépendait de sa transformation en une usine moderne de fabrication de papier journal.

Au cours de multiples entrevues, E.-L. Neal, le directeur général de l'entreprise, m'avait exposé les principaux problèmes affrontés par la compagnie qu'il dirigeait.

Le *New York Times*, de réputation mondiale, se procurait une partie de son papier journal à l'époque de la compagnie Kimberly-Clark du Canada qui l'expédiait par chemin de fer, de l'une de ses usines du nord de l'Ontario. Il était reconnu que les frais de transport du papier journal par bateau étaient moins élevés que par chemin de fer.

Or, à Chandler, situé à l'entrée de la baie des Chaleurs, se trouvaient des installations portuaires à eaux profondes, pouvant être améliorées et entretenues à des coûts raisonnables.

Le *New York Times* trouverait donc son profit à participer au financement de l'entreprise de la Gaspésia Pulp, devenue la Gaspésia Pulp and Paper Company, qui constituerait pour ce grand journal une nouvelle source d'approvisionnement stable, lui permettant de bénéficier d'excellentes conditions financières de transport.

Mais il fallait au *New York Times*, de même qu'à la compagnie Gaspésia, d'ailleurs, la garantie formelle que le ministère des Terres et Forêts placerait à la disposition de ce consortium de façon permanente de nouveaux territoires forestiers qui, ajoutés aux concessions déjà détenues par la compagnie Gaspésia, pourraient approvisionner indéfiniment cette nouvelle entreprise moderne de fabrication de papier journal. Dans ces circonstances, nous devions aux Terres et Forêts non seulement procéder à une nouvelle redistribution des limites forestières du comté de Gaspé mais dans certains cas effectuer le rachat de concessions pour les céder, sous location perpétuelle, à cette nouvelle industrie de papier journal.

En date du 3 avril 1962, Andrew Fisher, du *New York Times*, me faisait parvenir la lettre suivante, rappelant sa récente visite à Chandler, où il avait pu constater les effets bienfaisants que les projets d'expansion de la Gaspésia, en voie de réalisation, auraient sur l'avenir de la région de Chandler. Il ajoutait que la direction de son journal, le *New York Times*, était enchantée d'avoir eu l'occasion de contribuer à de tels développements dans cette région de la Gaspésie.

C'est ainsi que fut établie l'importante industrie de papier journal de la Gaspésie Pulp and Paper, à Chandler, devenue depuis le principal moteur économique du territoire couvrant la partie sud-ouest du comté de Gaspé.

Les inventaires et les chemins forestiers

Dès le premier exercice financier du gouvernement Lesage, celui de 1961-1962, nous avions mis en œuvre aux Terres et Forêts un important programme d'inventaires forestiers, comportant des tests de reconnaissance au moyen d'échantillonnage sur le terrain et de photogramétrie.

The New York Times
Times Square

ANDREW FISHER
ASSISTANT GENERAL MANAGER

April 3, 1962

Dear Mr. Arsenault:

I was deeply disappointed that it was impossible for you to join the Neals in Chandler on the evening of March 30. However, I do hope I will have the pleasure of meeting you in the very near future.

My visit to Chandler was very worthwhile indeed. Perhaps the most stimulating aspect of the expansion at Gaspesia is to be found in the exciting plans for development of the Chandler community. I had the good fortune to spend some time with Dr. Daigneault, Mayor of Chandler, and to hear about a few of the plans for the community's expansion and development.

We here at The New York Times are delighted at the opportunity to contribute, through Gaspesia's mill expansion, to these important developments on the Gaspe Penninsula.

Sincerely,

Andrew Fisher

Andrew Fisher

Mr. Bona Arsenault
Minister of Lands and Forests
Quebec, P. Q.
Canada

ms

À cette fin, nous avions retenu les services de plusieurs ingénieurs forestiers, dont la tâche consistait à déterminer notre potentiel forestier. C'était là un premier objectif à atteindre et le plus rapidement possible.

Ces travaux d'inventaire forestier avaient été entrepris surtout dans les régions de la Gaspésie, de l'Abitibi, de même qu'au Lac-Saint-Jean et dans le vaste comté de Duplessis, sur la rive nord du Saint-Laurent. Il nous fallait connaître de façon plus précise la possibilité de production de notre domaine forestier avant d'en faire une distribution ou une redistribution, suivant le cas, parmi les divers industriels forestiers et autres intéressés.

Cette connaissance pratique du rendement possible de nos territoires forestiers dans chacune des principales régions de la Province, devait nous permettre de pousser davantage la planification de nos exploitations forestières.

Résolument engagés dans cette voie, au cours des dix-huit premiers mois de l'administration Lesage, nous avions fait inventorier 2 600 milles carrés de forêts de la Couronne. De plus, à l'aide de photographies aériennes, nous avions procédé à l'étude d'une étendue de 6 800 milles carrés de territoires forestiers.

C'est ainsi que nous avons pu ensuite procéder en toute connaissance de cause à une meilleure distribution de nos concessions forestières de façon à faciliter l'établissement de nouvelles industries dans diverses régions de la Province, tout en assurant les approvisionnements indispensables au bon fonctionnement des industries forestières existantes.

À la même époque, la conclusion d'un accord avec le gouvernement fédéral, nous permettait aussi d'entreprendre la mise en œuvre d'un nouveau programme de construction de routes d'accès en forêt, à frais partagés, permettant l'exploitation de territoires forestiers jusqu'ici réputés inaccessibles. C'était la première fois dans l'histoire de la Province que le ministère des Terres et Forêts avait

Lors de l'inauguration de l'importante scierie d'André Lacroix à Carleton, en 1961. Cette industrie de sciage, qui avait été fermée en 1944, fut réouverte sous le gouvernement Lesage grâce à un nouveau programme de construction de routes de pénétration en forêt et de redistribution de concessions forestières, mis en œuvre à l'époque au ministère des Terres et Forêts. De gauche à droite: madame André Lacroix, née Hélène; André Lacroix; moi-même; Jean-Paul Bédard, comptable agréé et Gérard D. Lévesque, député de Bonaventure et alors ministre des Pêcheries et de la Chasse, du gouvernement Lesage.

procédé à la construction de routes de pénétration en forêt, plaçant ainsi à la portée de nos industriels de nouveaux territoires boisés, souvent rendus à maturité.

Au cours des années 1961 et 1962, ces chemins forestiers avaient été construits sur une distance totale de plus de 500 milles notamment dans les comtés de Saguenay, Abitibi-Ouest, Abitibi-Est, Rouyn-Noranda, Bellechasse, Rivière-du-Loup, Rimouski, Matane, Matapédia, Bonaventure, Gaspé-Sud, Lac-Saint-Jean et Roberval.

Encore aujourd'hui, ils rendent d'immenses services aux industriels et aux ouvriers forestiers, aussi bien qu'aux adeptes de la chasse et de la pêche sportive. Ces routes de pénétration en forêt n'ayant reçu ni nom ni numéro, la population des comtés de Bonaventure et de Matapédia les désigne encore de nos jours sous le nom de *chemins à Bona*.

De nouvelles industries, nées de ces initiatives, avaient surgies au Québec, lors des toutes premières années de la Révolution tranquille, notamment en Gaspésie, en Abitibi, dans l'ouest du Québec, ainsi que dans les régions de Chicoutimi, du Saguenay et du Lac-Saint-Jean.

Leur établissement à l'époque découlait de deux principaux facteurs: l'octroi de territoires forestiers et de permis de coupe de bois, à la suite d'informations précises révélées par les plus récents inventaires forestiers, et la construction d'un important réseau de routes de pénétration en forêt, rendant possible l'accès à de riches étendues de bois jusque-là inexploitées.

L'usine de carton ondulé de Matane

L'un des problèmes qui avait aussi retenu mon attention à mon arrivée au ministère des Terres et Forêts avait été, comme j'en ai fait mention au début de ce chapitre, la recherche d'un marché pour le bois de tremble, très abondant dans certains secteurs du bas du fleuve.

Or, la seule solution possible s'offrant au règlement de ce problème était l'établissement d'une nouvelle industrie pouvant être approvisionnée par cette variété de feuillu.

C'est alors qu'il fut possible de convaincre la Compagnie Internationale de papier du Canada de se charger de la mise en œuvre d'un tel projet, en établissant une usine de carton ondulé à Matane.

J'aurais aimé que cette industrie fût établie dans le comté de Matapédia, que je représentais à l'Assemblée nationale, mais il a bien fallu que je me rende à l'évidence. Matane était approximativement le centre du territoire où les cultivateurs, propriétaires de boisés de tremble, étaient les plus nombreux, en incluant ceux du comté de Rimouski et même du comté de Témiscouata. De plus, Matane avait le grand avantage de posséder un havre à eaux profondes pouvant servir à recevoir la matière première par goélette et à expédier le produit fini par navire marchand à des taux compétitifs.

L'inauguration officielle de cette nouvelle usine de carton ondulé eut lieu à Matane, le samedi 23 avril 1966, sous la présidence de Monsieur I.-H. Peck, le président de la Compagnie Internationale de papier du Canada. Le premier ministre Jean Lesage était l'invité d'honneur. J'y avais également assisté, en compagnie de Lucien Cliche, qui m'avait succédé aux Terres et Forêts, Gérard D. Lévesque, ministre de l'Industrie et du Commerce, le Dr Guy Fortier, député de Gaspé et autres invités.

C'est depuis cette époque que les propriétaires de boisés de ce vaste territoire comprenant, en particulier,

De gauche à droite: moi-même, en compagnie de Son Éminence le cardinal Paul-Émile Léger; le lieutenant-gouverneur Paul Comtois et Jules A. Breton, secrétaire général de l'Association forestière québécoise, lors du congrès des *Clubs 4-H* à Montréal, en juin 1962.

les comtés de Matapédia, Matane, Rimouski et Témiscouata, bénéficient d'un marché stable autant que profitable pour le tremble, variété de bois qui jusque-là était le plus souvent coupé et brûlé sur place, parce que jugé inacceptable par l'industrie de pâte à papier.

Les producteurs de bois de pulpe

La vente de bois à pâte, communément appelé bois de pulpe, avait toujours été un complément indispensable au revenu de quelque 40 000 cultivateurs, propriétaires de lots boisés, de la Province.

Or, à l'arrivée du gouvernement Lesage au pouvoir en 1960, ces producteurs avaient sur les bras près de 100 000 cordes de bois à pâte invendues que les compagnies de pâte à papier refusaient d'acheter, représentant à l'époque une valeur totale approximative de deux millions de dollars. De plus, sur l'ensemble de leurs achats, quelque 500 000 cordes par année, ces compagnies payaient aux producteurs des prix vraiment trop bas. J'avais dénoncé cette situation à maintes reprises lors de mon stage comme député fédéral.

Dès 1961, au début de la première session régulière du gouvernement Lesage, j'avais proposé et fait adopter par l'Assemblée législative une législation, dite Loi Arsenault, autorisant le Conseil des ministres à intervenir au moyen d'arrêtés ministériels sur la recommandation du ministre des Terres et Forêts, afin de rendre justice aux producteurs de bois de pulpe en leur assurant un marché stable à des prix équitables.

Non seulement cette loi touchant la mise en marché du bois à pâte a-t-elle mis fin aux interminables litiges qui existaient dans le passé entre acheteur et producteur, mais, en rendant inutile et inopérante toute entente clandestine de nature à créer des surplus artificiels et maintenir les prix injustement bas, elle assurait un marché permanent ainsi que de meilleurs prix de vente aux producteurs de bois du Québec.

Dans le journal *L'Action catholique*, en date du 21 septembre 1961, Guy Hamel publiait en éditorial un article dont j'extrais les quelques paragraphes suivants, illustrant la situation qui prévalait dans ce domaine à l'époque:

> « ....Depuis son arrivée au ministère des Terres et Forêts, l'honorable Arsenault fut probablement l'homme qui, dans le cabinet actuel, reçut le plus de coups. Tour à tour, il fut la cible des propriétaires de moulins à papier, des courtiers et des producteurs. Il eut à concilier les intérêts les plus divergents et à rétablir un peu d'équilibre dans un domaine où la loi du plus fort avait à peu près toujours primé.
>
> Les prises de position de Monsieur Arsenault, avant son entrée dans la politique provinciale, furent la cause première des multiples attaques dirigées contre lui. À Ottawa, il s'était fait le champion- défenseur des producteurs de bois, il avait vilipendé les propriétaires de grands moulins à papier. Il fut l'un de ceux qui ont le plus bataillé pour la tenue d'une enquête sur les activités des compagnies de papier. C'est cette enquête qui mena à la condamnation de 17 compagnies de pulpe et papier par la cour du Banc de la Reine...
>
> En entrant au ministère des Terres et Forêts, Monsieur Arsenault devenait pour les uns, l'homme à amadouer et pour les autres, il incarnait le libérateur, celui qui devait mettre un terme au désordre.
>
> ....Pour les propriétaires de moulins et les courtiers, la moindre concession du gouvernement en faveur des producteurs pouvait prendre la tournure d'un drame, si l'issue éventuelle pouvait signifier

l'annulation de traditions ou de pouvoirs acquis depuis près de 50 ans.

D'autre part, forts des déclarations antérieures du ministre, qui avait promis de mettre fin au régime d'exploitation des petites gens, les producteurs trouvaient, non sans raison, que ça ne démarrait pas très vite et harcelaient le ministre de leurs revendications. Même certains employés du ministère trouvaient que le ministre allait trop vite.

..........Ce qui à notre avis aura le plus contribué à établir le climat de confiance qui se dessine entre les représentants de compagnies et les offices de producteurs, est l'attitude de l'honorable Arsenault qui a refusé d'émettre aux compagnies des permis de coupe, sur les territoires de la Couronne, aussi longtemps qu'elles n'eurent pas fourni les renseignements demandés et donné l'assurance qu'elles tiendraient sérieusement compte des quantités de bois mises en marché par les cultivateurs et les colons......... »

J'avais tenu parole à l'endroit des producteurs de bois de pulpe de la Province.

Restauration forestière et sylviculture

Jusqu'en 1960, le mot sylviculture ne faisait pas partie du vocabulaire commun à la population de nos campagnes. Peu nombreux étaient ceux et celles qui en connaissaient la signification. Aujourd'hui, partout où vous allez au Québec, vous pourrez entendre parler de sylviculture.

Ce n'est en effet, qu'à l'automne de 1960, à la suite de la signature d'un programme conjoint avec le gouvernement fédéral que fut établi le Bureau de la Restauration forestière au ministère des Terres et Forêts, du Québec.

En tournée d'inspection de travaux sylvicoles consistant au sarclage des arbres de la forêt en Abitibi, en 1962. J'étais accompagné d'Alcide Courcy, au centre, député d'Abitibi-Ouest et ministre de l'Agriculture et de la Colonisation, ainsi que d'Edgar Turpin, député de Rouyn-Noranda.

C'était le premier organisme du genre au Canada. Il avait comme principal objectif de remettre en valeur de grandes étendues de forêt par l'application de méthodes sylvicoles, notamment le sarclage des arbres, et un travail intense de reboisement.

À cette fin, nous avions retenu les services d'un grand nombre de techniciens chargés de tracer les programmes et d'organiser ces travaux de sylviculture sur une grande échelle, en particulier en Gaspésie, en Abitibi, ainsi que dans les régions du Lac-Saint-Jean et du Témiscouata. Dans le cadre de cette restauration forestière, nous mettions l'accent sur la reconstitution par la sylviculture de terrains vacants de la Couronne, particulièrement dans les endroits où la régénération naturelle était lente ou presque nulle. À ces travaux éminemment utiles, nous avions employé des milliers d'hommes, pendant plusieurs mois, chaque année. Au cours de la seule année 1961, plus de dix millions d'arbres furent plantés sur ces terrains, soit six millions de plus que durant l'année précédente.

De plus, chaque année nous avons planté quelque cinquante mille arbres d'ornementation en bordure des grandes routes, dans les cours d'écoles, dans les parcs publics, dans les villes et villages disséminés dans une cinquantaine de comtés de la Province. C'était la première

Les Indiens Mohawks de la tribu des Iroquois de la réserve de Caughnawaga, près de Montréal, me décernaient le 19 octobre 1961 un diplôme d'honneur, dont le texte est écrit à l'encre sur une écorce de bouleau, me faisant Chef honoraire de leur tribu. J'ai reçu le nom Indien de *Koraconkawa* qui signifie Grand chef des bois.

fois qu'une telle initiative était prise, sur une aussi grande échelle et de façon systématique par le ministère des Terres et Forêts du Québec.

Lors d'une cérémonie de plantation d'arbre, le 7 mai 1962, dans la cour du couvent de la paroisse Saint-Sacrement à Québec, en compagnie de gauche à droite: de sœur Saint-Jean-de-la-Trinité, directrice du couvent; de Wilbrod Bhérer, alors président de la Commission des écoles catholiques de Québec, et Urbain Caumartin directeur de l'école Saint-Sacrement.

Les camps forestiers d'étudiants

Peu de temps après mon entrée en fonction comme ministre des Terres et Forêts, l'un des sous-ministres, Jean-Marie Bourbeau, m'a présenté une liste de noms d'étudiants bénéficiant d'emplois pour la durée des vacances aux Terres et Forêts. Plusieurs d'entre eux demeurant en ville venaient tout simplement chercher leurs chèques au ministère sans se donner la peine de travailler. C'était le système de l'époque. Or, ces étudiants avaient tous été recommandés par des ministres ou des députés de l'Union Nationale. Très honnêtement, Jean-

Au cours d'une visite d'un camp forestier d'étudiants, établi dans la région de Saint-Jules dans le comté de Bonaventure, en 1962, en compagnie de Gérard D. Lévesque, député de Bonaventure et ministre de l'Industrie et du Commerce, à gauche, et du premier ministre Jean Lesage.

Marie Bourbeau, qui avait déjà été secrétaire particulier de Johnny Bourque, ministre des Terres et Forêts sous Duplessis, me demanda ce que nous allions maintenant faire de ces étudiants, puisque le Parti libéral avait été porté au pouvoir.

Ma réaction, suivant mon habitude d'ailleurs, ne se fit pas attendre. Je lui répondis que, sur les dernières années de ma vie, je ne voulais pas me reprocher d'avoir mis fin aux études d'un seul de ces étudiants en raison du fait que ses parents, ou ceux qui l'avaient recommandé, ne partageaient pas les mêmes convictions politiques que les miennes. Je lui ai alors dit de conserver cette liste, à laquelle nous ajouterions bientôt d'autres noms d'étudiants qui auront été recommandés par des ministres et députés libéraux nouvellement portés au pouvoir. J'ai également ajouté que l'année suivante nous verrions à procurer du travail à tous ceux qui recevront un chèque du gouvernement.

Cette anecdote est à l'origine même de l'établissement des camps forestiers d'étudiants pour la première fois au Québec, en 1961. Ils furent alors dispersés dans une douzaine de régions boisées de la Province.

Dès l'été de 1961, près de mille étudiants de diverses parties du Québec avaient été admis à ces camps forestiers. En 1962, leur nombre fut porté à plus de quatorze cents pour ensuite se stabiliser à environ deux mille étudiants au cours des années subséquentes.

Ces jeunes gens, étudiants d'universités et d'institutions d'enseignement supérieur, travaillaient pendant les mois de juillet et août sous la surveillance de forestiers expérimentés à l'amélioration de territoires boisés par l'application des principes élémentaires de sylviculture.

Cette initiative, la première du genre au Canada, contribuait non seulement à la restauration de notre domaine forestier, mais elle permettait aussi à de jeunes étudiants à bénéficier d'une activité saine aussi profitable à leur santé physique et morale qu'à leur situation financière.

Cette expérience visait aussi à préparer pour l'avenir une génération d'hommes, de chefs de file, imbus du culte de l'arbre, ayant acquis une expérience pratique de la forêt, de son exploitation rationnelle, de sa protection, de sa conservation.

Dans ces camps, un programme de travail avait été établi de façon à ce que ces jeunes effectuent un travail utile, tout en se prêtant à des activités physiques convenant à leur âge. Ces établissements étaient ordinairement situés près d'une nappe d'eau, de sorte que les jeunes pouvaient apprendre à nager. D'ailleurs, tout un programme de loisirs était mis en œuvre par des moniteurs qualifiés en éducation physique dans chacun de ces camps forestiers, où étaient aussi enseignés les premiers soins à donner aux blessés.

Malheureusement ce programme d'établissement de camps forestiers d'été pour les étudiants fut discontinué, tôt après la reprise du pouvoir par l'Union Nationale, en 1966.

Flotte d'avions amphibies et aéroports

Peu après l'arrivée au pouvoir du gouvernement Lesage, en 1960, pour la première fois dans l'histoire du Québec, l'avion était entré dans la lutte contre les feux de forêts. Cette nouvelle méthode de combattre les incendies en forêt souvent causés par la foudre sur le faîte des montagnes, s'était révélé d'une grande efficacité.

Un jour, j'avais appris que parmi le matériel dit de surplus de guerre mis en vente par le goûvernement fédéral se trouvaient des avions amphibies de type Canso, pouvant voler en toute sécurité à basse altitude.

Surveillant une démonstration d'arrosage aérien par un avion de type *Canso*, à Duchesnay le 10 mai 1961. Cet avion faisait partie de l'escadrille de protection des forêts contre les incendies, organisée par le ministère des Terres et Forêts, après la montée au pouvoir du gouvernement Lesage.

Ces avions avaient été fabriqués durant la guerre à la Nouvelle-Orléans pour transporter des denrées et du matériel de guerre des États-Unis à l'Europe. Afin d'éviter d'être abattus par les navires ennemis, ils devaient survoler l'océan à très basse altitude, de façon à ne pas être aperçus de loin. D'où la grande superficie des ailes dont ils avaient été dotés. Ils portaient alors le nom d'avions Dakota. Aucun autre appareil, volant commodément à basse altitude, ne pouvait mieux convenir à la lutte contre les feux de forêts. D'autant plus que leur coût d'achat était minime et qu'ils pouvaient être transformés et équipés de réservoirs d'eau, à bon compte.

Au même moment, le gouvernement fédéral offrait un plan à frais partagés destiné à promouvoir la protec-

Lors de l'inauguration de l'aéroport de Bonaventure en juillet 1962. À la descente de l'avion, voici madame Jean Lesage, recevant une magnifique gerbe de roses; à ma droite se trouve mon fils Jean, devenu juge de la Cour du Bien-Être provincial. En arrière de Mme Lesage nous apercevons le maire de Bonaventure, Paul Cayouette, et son épouse; à sa gauche, Denis Paré, attaché de presse du premier ministre Lesage ainsi qu'Alexandre Larue, son chef de cabinet. Le premier ministre ainsi que M. Gérard D. Lévesque et Mme Lévesque ne paraissent malheureusement pas sur cette photographie.

tion des forêts, en absorbant une partie des coûts d'achat d'équipement, de construction de hangars et de pistes d'atterrissage destinés à cette fin.

C'est alors qu'au ministère des Terres et Forêts, nous avions décidé d'organiser une escadrille de cinq avions amphibies Canso, que nous avions fait transformer en avions-citerne, en plus d'acquérir deux avions amphibies de brousse d'excellente performance, un *Otter* et un *Beaver*. Nous pouvions également compter sur les services d'un hélicoptère, propriété du ministère des Transports et Communication.

Grâce aux 508 tours d'observation du ministère des Terres et Forêts, à ses 572 stations radiophoniques ainsi qu'aux 5 500 milles de lignes téléphoniques qui sont à la disposition des 1 200 inspecteurs et garde-feu du ministère, dès qu'un incendie était découvert en forêt, le service aérien provincial à l'Ancienne-Lorette était immédiatement alerté. Tous les endroits en forêt sont facilement accessibles par avion, quelle que soit la distance, ou la hauteur des montagnes, où peuvent surgir des foyers d'incendie. Puis, il se trouve toujours des lacs à proximité où l'avion-citerne peut facilement puiser l'eau nécessaire à l'extinction des feux.

En raison de la rareté de pistes d'atterrissage qui existaient à l'époque aux extrémités est et ouest du Québec, notamment en Abitibi et en Gaspésie, pouvant servir de centres d'opération soit pour l'extinction des feux de forêt, ou pour l'arrosage de produits chimiques, pour la destruction des insectes nuisibles aux forêts, c'est alors que nous avons décidé, aux Terres et Forêts, de construire les aéroports de La Sarre, en Abitibi, et de Bonaventure, en Gaspésie. Depuis son inauguration, en juillet 1962, le centre aérien de Bonaventure dont la piste est présentement de 6 000 pieds est devenu l'un des aéroports les plus sûrs et les mieux équipés de l'est du Québec. C'est l'un des projets réalisés durant mon terme d'office au ministère des Terres et Forêts, dont je suis le plus fier.

La forêt expérimentale de l'Université Laval

Pendant près de dix ans, avant l'arrivée au pouvoir du gouvernement Lesage, le corps professoral de la faculté d'arpentage et de génie forestier de l'Université Laval avait vainement multiplié ses efforts auprès du gouvernement Duplessis afin d'obtenir l'établissement d'une forêt expérimentale à proximité de Québec.

À mon arrivée au ministère des Terres et Forêts, en 1960, j'ai été appelé à étudier cette demande bien légitime de l'Université Laval. Avec l'autorisation du premier ministre Lesage, je me suis empressé d'y donner suite.

Une telle forêt expérimentale, mise à la disposition des professeurs enseignant la science forestière, est aussi essentielle que peut l'être un hôpital placé à la portée d'une faculté de médecine. D'ailleurs, aussi bien au Canada qu'à l'étranger, les institutions où la science forestière était enseignée possédaient depuis longtemps leurs forêts expérimentales.

Le ministère des Terres et Forêts fit alors don à l'Université Laval d'un territoire forestier, situé dans le

Lors de l'inauguration du Centre forestier de l'Université Laval en 1961, avec Mgr Alphonse-Marie Parent, alors recteur de l'université.

Parc des Laurentides, d'une superficie de 16 000 acres, soit d'une étendue de 25 milles carrés, où se trouve le Centre forestier de l'Université Laval.

Grâce à ce domaine forestier, réservé à des fins expérimentales, l'étudiant en sciences forestières à l'Université Laval, a l'avantage, depuis 1961, d'étudier sur place de façon pratique les problèmes ressortissants à la sylviculture, à l'aménagement et à l'exploitation des divers types de peuplement forestier. L'étudiant peut ainsi compléter, sur le théâtre même de l'exploitation forestière, les enseignements théoriques qu'il aura reçus pendant ses cours à l'université.

Cette importante contribution à l'enseignement et à la recherche dans le secteur forestier a marqué une étape pour l'avenir de l'une des principales richesses naturelles du Québec. Ce geste, posé en faveur de l'Université Laval, pour faciliter la tâche à cette excellente institution d'organiser sa propre forêt expérimentale et son centre de recherches forestières, joue un rôle primordial dans le développement et l'épanouissement de la science forestière en notre province.

La récupération des bois de la Manicouagan

Dès le mois d'août 1960, le ministère des Terres et Forêts était saisi d'un problème majeur, celui de la récupération des bois de la Manicouagan.

L'Hydro-Québec, relevant de René Lévesque, qui devint quelques mois plus tard ministre des Richesses naturelles, avait décidé d'entreprendre la construction d'une série de centrales électriques sur les rivières Manicouagan et aux Outardes, au Saguenay.

Le principal aménagement hydro-électrique devait être construit au rapide 5, dans le haut de la Manicouagan, à quelques 130 milles au nord de Baie-Comeau. Ce barrage, de 4 000 pieds de longueur sur 650 pieds de hauteur, retiendrait assez d'eau pour former un lac immense de quelque 800 milles carrés. Tout ce territoire devait être submergé.

D'autres vastes régions forestières seraient aussi inondées par suite de l'érection de divers autres barrages le long de ces rivières. Un territoire de quelque 1 200 milles carrés de forêt vierge, pouvant fournir de trois à quatre millions de cordes de bois d'excellente qualité, constitué surtout d'épinette noire, disparaîtrait sous les eaux. Soit, autant de bois qu'il en fallait pour suffire au besoins de toutes les industries de pulpe et de papier de la Province pendant une année entière.

De puissants intérêts s'objectaient à la récupération de cette immense quantité de bois, sous le prétexte qu'une telle entreprise nuirait sérieusement à l'économie de la Province, en jetant sur le marché autant de bois de façon inattendue.

Par contre, dans les milieux populaires, on affirmait que ce serait un crime que de laisser engloutir une telle richesse. Tous les ingénieurs forestiers que j'avais consultés partageaient d'ailleurs cet avis.

De plus, la récupération de ces millions de cordes de bois de la région de la Manicouagan, procurerait du travail à quelque 2 000 ouvriers en forêt, durant au moins cinq ans. Pendant les saisons les plus actives, cette main-d'œuvre pouvait être portée à 5 000 ou 6 000 travailleurs.

Après avoir soigneusement étudié ce problème avec mes principaux conseillers du ministère, il fut décidé d'entreprendre la récupération de cet amoncellement de bois.

Nous avions préalablement établi des contacts en Europe, notamment en France, nous assurant qu'il serait possible d'écouler cette masse de bois sur les marchés européens.

Caricature du talentueux Robert Lapalme, publiée dans *La Presse* de Montréal, le 27 décembre 1961.

Il restait à mettre en œuvre le mécanisme qui aurait la responsabilité de l'administration et de la bonne marche de cette vaste entreprise. Un projet de loi avait été soumis à l'Assemblée législative créant l'Office pour la récupération forestière dans les bassins de la Manicouagan et de la rivière aux Outardes, au cours de la première partie de la session parlementaire de 1961.

C'était le début de la plus grande opération de récupération de bois dans l'histoire du Québec.

J'avais présenté ce projet de loi, à l'Assemblée législative, en date du 14 mars 1961, mais ce n'est que le 24 avril qu'il avait finalement été adopté en troisième lecture, à la suite d'un débat animé. L'Union Nationale qui formait alors l'opposition officielle, dirigée par Daniel Johnson, l'avait combattu avec acharnement.

En tournée d'inspection des territoires de coupe de bois dans la région de la Manicouagan, le 18 octobre 1961, en compagnie d'Auguste Albert, ingénieur-conseil et président de l'Office de la récupération, ainsi que de Benoît Joncas, président de la *Gulf Maritime* de Matane, chargée de la coupe et du transport du bois.

Le 4 mai 1961, soit quelques jours après l'adoption de la législation créant l'Office de la récupération des bois de la Manicouagan, j'ai annoncé la constitution de cet organisme, dont feraient partie: Auguste A. Albert, ingénieur conseil, de Rimouski, en qualité de président; Charles Gosselin, ingénieur forestier, de la St-Raymond Paper, comme vice-président, et de deux autres membres, le notaire Georges-Alexandre LeBel, de Matane, et Roland Deschamps, sous-ministre aux Terres et Forêts.

Les ingénieurs forestiers Marie-Albert Bourget et Henri Grenier furent nommés administrateurs conjoints et contrôleurs des opérations de l'Office de la récupération des bois de la Manicouagan.

Dès la première année d'opération, plus de 4 000 ouvriers forestiers ont été employés sur les chantiers de la Manicouagan. Après avoir fourni 227 316 jours de travail, ils avaient encaissé près de cinq millions de dollars sous forme de salaires. Cette situation se répéta pendant sept ans. En plus, évidemment, d'un nombre d'ouvriers encore plus grand, travaillant pour le compte de Hydro-Québec, au harnachement des chutes des rivières Manicouagan et aux Outardes.

La plus grande partie du bois de la Manicouagan, qui était menacé d'être submergé, fut récupéré et expédié sur les marchés européens, notamment en France. Grâce à cette heureuse opération, plus de trente millions de dollars ont été distribués sous forme de salaires, dont une forte partie fut versée à des travailleurs en forêt de l'est de la Province, en particulier à des Gaspésiens. La situation économique du Québec ne s'en porta que mieux, d'autant plus que le Trésor de la Province s'était enrichi de plus de dix millions de dollars de profit, rapportés par les opérations forestières effectuées sur la Manicouagan.

Dès le 2 décembre 1963, Lorenzo Paré, alors rédacteur en chef du journal *L'Action* de Québec écrivait un éditorial, dont je cite les quelques passages suivants:

> « ....
>
> Or, se rappelle-t-on avec quel pessimisme cette grande aventure de la récupération des bois de la Manicouagan sur les immensités inondées par les barrages de la Manicouagan a été accueillie, chez nous? Le ministre des Terres et Forêts, Bona Arsenault, en avait pris la responsabilité... Tous les quolibets de la politique, toute la verve des caricaturistes et toute l'ignorance des «sommités» de la presse se sont alors acharnés sur le pauvre Bona Arsenault. Et les insinuations n'ont pas manqué, non plus.
>
> Le peuple apprend aujourd'hui (on n'était qu'en décembre 1963) que l'aventure de la Manicouagan se

> solde, non seulement par des contrats de vente, mais par $8 millions en salaires à 7 534 travailleurs qui auraient autrement été en chômage au Québec. « L'aventure » continue: des milliers d'hommes y seront employés, presque à l'année longue, et pour cinq ans encore... »

Des prophètes de malheur auraient préféré que nous adoptions la voie la plus facile, celle de ne rien faire, de laisser tout simplement inonder des millions de cordes de bois, propriété de la Province, sous les yeux de milliers de chômeurs avides de gagner le pain de leurs familles.

Mais au contraire, cette audacieuse entreprise devait se révéler l'une des plus bienfaisantes réalisations du gouvernement de Jean Lesage, à l'heure de la Révolution tranquille.

VI

AU SECRÉTARIAT DE LA PROVINCE

Lors du remaniement ministériel qui avait eu lieu le 5 décembre 1962, j'avais temporairement été transféré au ministère de la Chasse et de la Pêche avant d'être dirigé, quelques mois plus tard, au secrétariat de la Province. À la même époque, Gérard D. Lévesque, jusque-là ministre de la Chasse et de la Pêche, passait au ministère de l'Industrie et du Commerce, alors que Lucien Cliche, qui était aux Affaires municipales, était muté au ministère des Terres et Forêts.

Jean Lesage m'avait destiné au secrétariat de la Province comme l'éventuel successeur de Lionel Bertrand, qui devait prendre la direction du nouveau ministère du Tourisme, Chasse et Pêche, qui serait créé au cours de la session de 1963.

C'est ainsi qu'à la faveur d'un nouveau remaniement ministériel, qui eut lieu le 1er avril 1963, je devenais le secrétaire de la Province.

Au Beaver Club de Montréal

Lors de mon court séjour au ministère de la Chasse et de la Pêche, j'avais été fait membre honoraire du célèbre Beaver Club de Montréal le 11 janvier 1963, lors d'un banquet présidé par Donald Gordon, alors président du Canadien National. Il s'y trouvait une centaine d'invités, parmi les figures les plus connues de la métropole. Le décor de la salle était impressionnant: un iglou, des peaux de renards attachés au mur, un ours polaire empaillé, mais se faisant tout de même menaçant, une Indienne tenant en laisse de véritables chiens esquimaux bien vivants, et une série de mets gastronomiques servis par des garçons portant l'habit des coureurs des bois d'autrefois.

Le banquet annuel du Beaver Club avait pour but de rendre hommage aux hommes qui ont ouvert le Nord-Ouest canadien. Il évoquait le premier Beaver Club fondé en 1785 par des trafiquants de fourrures du Nord-Ouest. Pour faire partie de l'historique club il fallait avoir hiverné dans les immensités du Nord-Ouest canadien et être élu à l'unanimité de tous les membres. Le club n'avait pas de quartier général. Ses membres se réunissaient ordinairement dans diverses tavernes de Montréal. Disparu vers la fin du dix-neuvième siècle, le Beaver Club avait connu sa renaissance à Montréal, en 1959.

Lors de ce banquet tenu en 1963, c'était à l'époque où Donald Gordon venait de soulever de vives protestations de la part des éléments nationalistes du Québec, pour avoir donné le nom de *Queen Elizabeth* au nouvel hôtel alors érigé par le chemin de fer Canadien National à Montréal. Par la suite, l'hôtel fut affublé du nom bilin-

Le soir du 11 janvier 1963, j'étais élu membre honoraire du *Beaver Club* de Montréal par Donald Gordon, alors président du *Canadian National*. Il arborait des vêtements de cérémonie du XVIIIe siècle et portait une barbiche postiche, comme les autres membres du club d'ailleurs.

En compagnie de mon compatriote de Bonaventure, Jean-Louis Lévesque, originaire de Nouvelle, devenu l'un des plus grands financiers du pays, et de Paul Earl, ministre du Revenu dans le gouvernement Lesage, lors du banquet du *Beaver Club* de Montréal, le 11 janvier 1963.

gue que l'on sait, alors que dans plusieurs milieux il est encore connu sous le nom de *Queen E*, prononcé à l'anglaise. On se souviendra que c'est l'année suivante, à l'automne de 1964, que la reine Élizabeth et son époux, le prince Philippe, avaient été l'objet d'une manifestation houleuse de la part de séparatistes dans les rues de la ville de Québec.

En ignorant avec une certaine arrogance les protestations dont il avait été la cible à ce sujet, le président Gordon avait décidément alimenté sans trop s'en rendre compte un feu indépendantiste brûlant déjà avec passablement d'intensité au Québec, en particulier dans la région de Montréal.

C'est ainsi que, dans son compte rendu du banquet, Mireille Lagacé, du journal *La Presse*, avait publié les commentaires suivants, en date du 12 janvier 1963:

Lors de mon assermentation comme secrétaire de la Province, le Ier avril 1963. On voit ici le lieutenant-gouverneur Paul Comtois me remettant le Grand Sceau de la Province. À ses côtés on peut distinguer Gérard D. Lévesque, ainsi que Raymond Douville, sous-secrétaire de la Province. En arrière de moi, à ma droite, J.P. Martin, aide de camp du lieutenant-gouverneur, et immédiatement à ma gauche, Lionel Bertrand qui venait d'être assermenté ministre du Tourisme, de la Chasse et de la Pêche. À l'extrême-droite se trouvent Jean Lesage et un officier en loi.

« ...Il (Donald Gordon) chante aussi des « old French Canadian songs » dans sa langue maternelle, l'anglais, bien sûr, et tous les invités trouvent cela très drôle.

Il chante en solo, il a une très belle voix d'ailleurs ...s'il eût vécu à l'époque des « saloons », il n'aurait pas eu besoin du CNR pour devenir célèbre.

De plus, Donald Gordon a fait de louables efforts pour prononcer quelques mots en français et Bona Arsenault, l'honorable ministre de la Chasse et des Pêcheries, lui a décerné, avec son célèbre sourire, le titre de « good French Canadian » ...un autre succès pour Donald Gordon. »

Il est inutile d'ajouter que, dans les circonstances, une telle mention ironiquement décernée à Donald Gordon, originaire d'Écosse, avait soulevé les rires et les applaudissements de l'assistance.

Les tâches qui m'attendaient au Secrétariat

La première besogne qui m'attendait au secrétariat de la Province était celle de mettre sur pied l'Office d'information et de publicité du Québec avec ses nombreuses ramifications. Quelques mois plus tard, je serai chargé d'une autre responsabilité: celle de mettre en œuvre la réalisation à travers la Province des projets commémoratifs du centenaire de la Confédération, qui serait célébré en 1967. C'était l'élaboration et l'exécution d'un vaste programme s'élevant à près de trente millions de dollars.

Voilà les deux principales raisons pour lesquelles le premier ministre Lesage avait décidé de me transférer du ministère des Terres et Forêts à celui du secrétariat de la Province. Il m'avait fait provisoirement passer par le ministère de la Chasse et de la Pêche.

Au secrétariat de la Province j'ai été secondé par d'excellents collaborateurs, tels que Raymond Douville, sous-secrétaire, Lucien Darveau, sous-secrétaire adjoint, ainsi que René Montpetit, un deuxième sous-secrétaire adjoint, dont j'avais recommandé la nomination après mon arrivée au Secrétariat. Les postes de sous-secrétaires au secrétariat de la Province équivalaient à ceux de sous-ministres dans les autres ministères.

J'avais connu Raymond Douville alors que j'étais dans le journalisme. Il était alors directeur du journal *Le Bien Public* de Trois-Rivières. Écrivain de grand talent, il était aussi un chercheur passionné dans le domaine de la petite histoire du Québec. Quant à Lucien Darveau, c'est en suivant des cours du soir en sciences sociales à l'Université Laval, que je l'avais rencontré, ainsi d'ailleurs que Maurice Lamontagne et Doris Lussier. Lucien Darveau avait complété ses études de droit et de sciences sociales, politiques et économiques, à Laval. Très érudit, il était devenu un spécialiste recherché dans la rédaction de textes de législation. Comme sous-ministre responsable de la réalisation des projets commémoratifs du centenaire de la Confédération, il en fut la véritable cheville ouvrière.

Par ailleurs, j'avais invité René Montpetit à faire partie de l'équipe du Secrétariat, en raison de ses connaissances exceptionnelles en information et en publicité. Sous-ministre responsable de l'Office d'information et de publicité que le premier ministre m'avait chargé de mettre sur pied, il en fut vraiment le maître d'œuvre.

L'Office d'information et de publicité

L'Office d'information et de publicité du Québec avait été créé par une loi de la Législature qui avait été sanctionnée dès le mois d'avril 1961. Mais, jusqu'à mon arrivée au secrétariat provincial, en 1963, rien n'avait été fait pour mettre cet organisme sur pied.

Le principal but de l'Office était d'informer la population des services auxquels elle avait droit. Grâce à ses structures et aux spécialistes de l'information qui en feraient partie, l'Office serait mieux en mesure de renseigner le public, en centralisant les informations provenant des divers ministères du gouvernement. L'Office avait également pour rôle d'informer le gouvernement des réactions de la population touchant les décisions prises dans le cadre des politiques gouvernementales.

Bien que chaque ministère demeurât responsable de son information courante, le secrétaire de la Province, chargé de l'application de la loi relative à l'information, devait s'assurer que l'activité des ministères, en matière de renseignements diffusés au sein de la population, cadre avec la politique générale du gouvernement.

L'ancien Service des impressions avait été aboli pour faire place à la Division des publications, qui avait pour tâche d'établir les exigences graphiques, de façon à donner aux diverses publications du gouvernement un caractère uniforme. Cette division dirigeait aussi la vente et la diffusion des publications.

Enfin, des agents de liaison, dans chaque ministère, étaient appelés à maintenir des rapports constants entre l'Office et les divers départements gouvernementaux. Cette liaison indispensable était effectuée par la Division de la coordination dont la responsabilité consistait à surveiller la présentation grammaticale, photographique et cinématographique de tous les moyens de diffusion de l'information officielle et de la publicité du gouvernement du Québec, par l'intermédiaire de l'Office.

C'est cet Office d'information et de publicité du Québec qui est devenu depuis le ministère de l'Information du Québec.

Le chef de l'Union Nationale et *leader* de l'opposition officielle à l'Assemblée nationale, Daniel Johnson, à gauche, participait à l'inauguration officielle des bureaux de l'Office d'information et de publicité du Québec, en compagnie de Jean Lesage, le 15 avril 1964. Ces locaux étaient alors situés au 710, rue Grande-Allée, est.

Les projets du centenaire de la Confédération

Le 3 juillet 1963, soit trois mois après ma nomination comme secrétaire de la Province, l'Assemblée législative adoptait la « Loi pour collaborer à la célébration du Centenaire de la Confédération du Canada. » Cette législation avait pour effet d'autoriser le gouvernement du Québec à collaborer avec le gouvernement du Canada pour la célébration du centenaire de la Confédération au Canada.

Le Conseil des ministres m'ayant autorisé à conclure une entente avec le fédéral, à ce sujet, c'est le 28 janvier 1964 que je signais l'accord, conjointement avec John Fisher, commissaire de la Commission fédérale du centenaire de la Confédération, et Robert Choquette, poète et écrivain, commissaire associé de la Commission fédérale du centenaire.

En substance, l'entente stipulait que le gouvernement fédéral allouait un montant n'excédant pas 5 468 000 dollars, soit un dollar par tête, selon la population du Québec, pour l'édification d'œuvres à caractère durable reliées à la célébration du centenaire, les deux tiers du coût total des projets devant être partagés entre la province et les promoteurs.

De plus, le gouvernement fédéral s'était engagé à participer à un projet, dit national, dans chacune des capitales provinciales. À cette fin, il avait offert de verser le montant de 2 800 000 dollars pour l'érection d'un conservatoire à Québec, lieu de la deuxième et dernière rencontre des Pères de la Confédération, en 1884. Érigé sur la rue Saint-Cyrille, à Québec, ce conservatoire est mieux connu de nos jours sous le nom de Grand Théâtre.

Ce joyau de pierre destiné à l'épanouissement de la vie culturelle chez nous dont le coût total dépassa les huit millions comprend une salle d'opéra, de théâtre et de concert de 1 700 places; un théâtre-auditorium de 500

Le 28 janvier 1964, je signais, au nom du gouvernement, l'entente fédérale-provinciale relative à la célébration du centenaire de la Confédération qui eut lieu en 1967. Les deux témoins étaient, à ma gauche, John Fisher, commissaire de la Commission du centenaire de la Confédération, et à ma droite, Robert Choquette, écrivain poète bien connu, alors commissaire associé.

places, une salle de réunion, une galerie d'expositions, un salon de thé et un conservatoire de musique et d'art dramatique. Le ministère des Affaires culturelles du Québec a fait du Grand Théâtre ainsi que du Petit Théâtre du Québec, faisant partie du même complexe, le foyer des organismes artistiques locaux, en particulier de l'Orchestre symphonique de Québec.

Afin d'établir un ordre de priorité parmi les nombreuses demandes parvenant au secrétariat de la Province de la part des promoteurs de divers projets, et d'en faire une sélection qui soit aussi équitable que possible,

Lors d'une séance de travail sur les projets de la célébration du centenaire de la Confédération, en 1964. À ma droite, Jean Pelletier, coordonnateur, et maire actuel de la ville de Québec ; à ma gauche, Lucien Darveau, sous-ministre responsable des projets ; Robert Choquette, commissaire associé de la Commission fédérale du centenaire de la Confédération.

j'avais recommandé la formation d'un comité présidé par Guy LeChasseur, président de l'Assemblée législative et des autres membres suivants: Lucien Darveau, sous-secrétaire adjoint de la Province; Guy Frégault, sous-ministre des Affaires culturelles; René Montpetit, sous-secrétaire adjoint de la Province; Guy Gagnon, secrétaire exécutif du premier ministre; Gilles Guité, architecte-conseil; Gilles Bergeron, sous-ministre adjoint au ministère de l'Éducation; Gérard Martin, directeur du Service des bibliothèques au ministère des Affaires culturelles et Jacques Roy, secrétaire.

Pendant une séance de consultation, en automne 1964, concernant l'établissement de centres culturels dans certaines régions de la Province. J'étais entouré de mes collègues du Conseil des ministres, de gauche à droite : Paul Gérin-Lajoie, ministre de l'Éducation ; Lucien Cliche, ministre des Terres et Forêts, à moitié caché par M. Lajoie ; Gérard D. Lévesque, ministre de l'Industrie et du Commerce ; moi-même ; Pierre Laporte, alors ministre des Affaires municipales et des Affaires culturelles, et Guy Gagnon, secrétaire exécutif du premier ministre, partiellement caché par Pierre Laporte.

De plus, Léon Balcer, de Trois-Rivières, ancien député fédéral et ex-ministre des Transports, à Ottawa, avait été nommé directeur général et coordonnateur des fêtes du centenaire de la Confédération, alors que Jean Pelletier, présentement maire de la ville de Québec, qui était alors haut fonctionnaire au secrétariat de la Province, était préposé à la coordination des travaux des multiples sous-comités établis à l'intérieur du Secrétariat.

J'avais aussi l'occasion de consulter mes collègues du Conseil des ministres, soit par groupes ou individuellement, suivant les circonstances, au sujet de décisions à prendre touchant leur région respective.

Sur les quelque 400 propositions reçues des diverses parties de la Province, 77 projets d'ordre régional furent retenus à la suite d'une sélection minutieuse. Ces projets commémoratifs, mis en chantier, consistaient en aménagement de parcs, tels que ceux de Carillon dans la région de Montréal, et des chutes Montmorency, près de Québec, mais surtout en la construction de centres culturels, récréatifs, sportifs, artistiques, de loisirs, dont plusieurs ont été dotés d'une piscine intérieure.

Ce fut, en particulier, le cas du centre culturel établi dans ma paroisse natale de Bonaventure, dont la municipalité de l'endroit avait été le promoteur. Je me souviens d'avoir recommandé au maire de l'époque, mon concitoyen Paul Cayouette, l'aménagement d'une piscine à l'intérieur de l'édifice, abritant le centre culturel, qui serait érigé. Il fut d'accord, de même que les membres de son Conseil.

Depuis cette époque, des centaines de jeunes de la région de Bonaventure, filles et garçons, sont devenus des adeptes passionnés de la natation, cet exercice physique par excellence. Aussi, est-ce avec beaucoup de fierté que j'ai pris connaissance au cours des années des prouesses de plusieurs de ces jeunes, ayant remporté de nombreux championnats de natation, en diverses régions du Québec

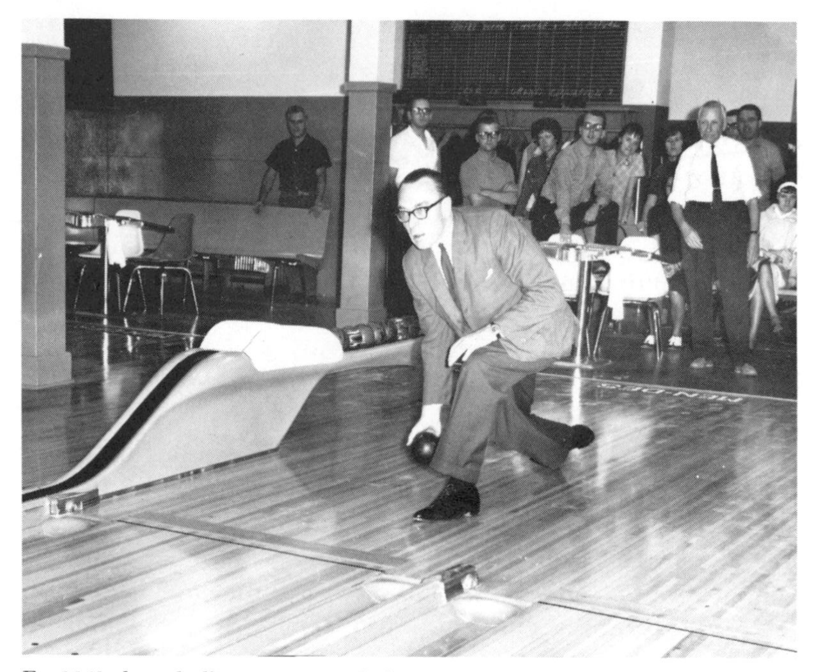

En 1963, lors de l'inauguration de la *Ligue des quilles* du secrétariat de la Province.

de même qu'à l'étranger. J'en étais encore plus touché lorsqu'il s'agissait de mes propres petits-enfants, comme Louise et Marie Arsenault, filles de mon fils Jean, gagnantes de si nombreuses médailles d'or et d'argent, lors de compétitions en cette discipline sportive.

À l'époque, en dehors des grands centres, il y avait pénurie de salles publiques pouvant accomoder quelques centaines de personnes et servir à diverses fins utilitaires, comme à recevoir nos populaires chansonniers dans leurs tournées en province.

C'est pourquoi, à l'occasion du centenaire de la Confédération, nous avions voulu nous efforcer de combler cette lacune en encourageant l'édification de projets de centres communautaires où les arts, la culture et les sports seraient mis en valeur, et occuperaient les loisirs de nos jeunes. Plus de soixante centres culturels régionaux furent alors construits en dehors de nos grandes villes en diverses parties de la Province. Les autres projets réalisés, outre les parcs déjà mentionnés, consistaient en construction de bibliothèques municipales, musées, fontaines lumineuses, piscines intérieures ou la reconstitution de vieux postes, comme à Sept-Îles, de même que d'autres initiatives.

Dans le bas du fleuve, en Gaspésie, et aux Îles-de-la-Madeleine ont été construits les centres culturels d'Amqui, de Bonaventure, de Gaspé, de Havre-Aubert, de Mont-Joli, de la Pocatière et de Rivière-du-Loup. Ont aussi été aménagés le pavillon piscine de Matane et le centre des loisirs de Rimouski. La plupart de ces projets n'auraient jamais été édifiés sans les initiatives prises à l'occasion de la célébration des fêtes de la Confédération et les généreuses subventions accordées en cette occasion.

Afin de faciliter la tâche aux municipalités de campagne, dont les revenus étaient modestes, de participer financièrement à la réalisation de ces projets, j'avais fait adopter par le Conseil des ministres des règlements graduant la contribution financière des promoteurs selon l'importance de la population de l'endroit.

Ainsi, au départ, le gouvernement fédéral défrayait le tiers du coût total des projets, la Province contribuait un montant égal et la municipalité payait la différence, si elle avait plus de 10 000 de population. Les localités, de moins de 10 000 âmes, contribuaient 20 pour cent du coût du projet, alors que les municipalités de paroisse n'avaient qu'à débourser 10 pour cent du coût total.

C'est ainsi, par exemple, que le centre culturel de Bonaventure, dont j'ai déjà fait mention, d'une valeur totale de 220 000 dollars, n'aura coûté qu'un modique

22 000 dollars à la municipalité de Bonaventure, grâce à ces arrangements financiers prévus par les règlements. Et, sans cette disposition financière, jamais la municipalité de Bonaventure n'aurait pu construire, à l'époque, un édifice aussi coûteux qui rend d'incalculables services à la population.

Le 30 août 1965, Maurice Lamontagne, alors secrétaire d'État du Canada et ministre chargé des Affaires du centenaire de la Confédération, était en tournée d'inspection à Québec en compagnie de Georges E. Gauthier, le nouveau commissaire associé de la Commission fédérale du centenaire.

En cette circonstance, Maurice Lamontagne déclarait, au cours d'une allocution, que le Québec était à

Le 19 avril 1964, j'étais initié au quatrième degré de l'*Ordre des Chevaliers de Colomb* du district de Québec. Nous voyons ici de gauche à droite: le juge Eugène Marquis, député d'État, de l'*Ordre des Chevaliers de Colomb*, qui avait été aussi mon collègue comme député fédéral; le lieutenant-gouverneur du Québec, Paul Comtois;l'Honorable Paul Cuddihy, Maître Suprême des Chevaliers de Colomb. Nommé lieutenant-gouverneur en 1961, Son Excellence Paul Comtois a péri dans l'incendie de sa résidence officielle du Bois de Coulonge, dans la nuit du 19 au 20 février 1966.

l'avant-garde de toutes les provinces canadiennes pour le nombre et l'importance de ses projets de centres culturels. « Il fallait a-t-il dit combler le vide entre le corps et l'âme du pays, les progrès matériels ayant dépassés ceux de la culture. Le Québec a accompli cet objectif avec sa chaîne de Centres culturels. »

Au point de vue architectural, tous ces monuments commémoratifs du centenaire de la Confédération ont été l'œuvre d'un jeune architecte de grand talent, Gilles Guité, originaire de Bonaventure, dont j'avais fait approuver la nomination au Conseil des ministres comme architecte des projets du centenaire qui seraient érigés au Québec.

Lors de leur inauguration officielle en 1967, l'année du centenaire, le gouvernement Lesage n'était plus au pouvoir. Ce sont les ministres et députés du Parti de l'Union Nationale qui ont été appelés à procéder aux 77 inaugurations officielles de cette série de projets, accompagnés des représentants du gouvernement fédéral.

Bien qu'invité à participer à certaines de ces manifestations, je n'ai voulu assister à aucune. En de telles circonstances, les impondérables de la politique me faisaient trop mal au cœur.

VII

AU TERME DE MA CARRIÈRE POLITIQUE

Au soir de la défaite du gouvernement Lesage, le 5 juin 1966, je n'avais été élu que par 22 voix de majorité dans mon comté de Matapédia. Ce n'était cependant pas un record, puisqu'à cette même élection, dans le comté de Rouville, le candidat de l'Union Nationale, Paul-Yvon Hamel, n'avait remporté la victoire, sur le Libéral, François Boulais, que par 5 voix. À cette élection plusieurs candidats, tant Libéraux que Nationaux, avaient remporté la victoire par moins de cent votes de majorité.

Le Parti de l'Union Nationale, dirigé par Daniel Johnson, avait été porté au pouvoir avec 56 députés élus, contre 50 députés libéraux et 2 indépendants. L'Union Nationale n'avait cependant obtenu que 41% des votes exprimés alors que l'électorat avait accordé 46% des suffrages au Parti libéral.

C'est une illustration de la singularité de cette victoire de l'Union Nationale remportée grâce surtout aux capricieuses répartitions des divisions électorales à l'époque.

Mais il se trouva de multiples autres raisons pouvant expliquer la défaite si inattendue du gouvernement dirigé par Jean Lesage.

Les multiples causes de la défaite de 1966

Je suis personnellement d'avis que le gouvernement Lesage était allé en besogne, à la fois trop vite et trop loin, dans la mise en œuvre de réformes venant souvent en conflit avec certaines traditions séculaires de la population du Québec.

Pour qu'elle puisse être convenablement digérée par l'électorat, toute transformation de la vie d'une population doit être effectuée par étapes.

Si Jean Lesage avait suivi les fréquents avis qu'il recevait des membres de l'aile modérée de son cabinet, son gouvernement aurait pu survivre à toutes les élections générales pendant une bonne quinzaine d'années. Mais, il était aussi entouré de certains esprits forts, dépourvus d'expérience politique, devant lesquels il devait souvent courber l'échine afin d'éviter d'irréparables scissions.

Ces chauds partisans de la multiplication des réformes, à tout prix et quel qu'en soit le prix, formaient à un moment donné une espèce de gouvernement parallèle au sein du cabinet. Ils étaient de plus de connivence avec une poignée de chroniqueurs parlementaires socialisants, leur servant à l'extérieur de zélés palefreniers.

Jean Lesage fut bientôt pris entre deux feux. Certains milieux intellectuels étaient fascinés par ces idées, abondamment répandues par certaines sources d'information, à l'effet que le gouvernement Lesage n'avançait pas assez rapidement dans la voie des réformes. Au même moment, la masse des payeurs de taxes trouvait déjà trop lourd le fardeau fiscal provincial, découlant des transformations sociales déjà amorcées.

Au cours de ses deux premières années d'administration, le gouvernement Lesage avait déjà plus que doublé les dépenses publiques du Québec. Mais, de fortes pressions, aussi bien exercées à l'intérieur du cabinet qu'orchestrées par certains chroniqueurs politiques, en réclamaient toujours davantage.

Ç'avait été, on s'en souvient, la mainmise camouflée de l'État sur les commissions scolaires. À tort ou à raison, les écoles des rangs auxquelles la population restait émotivement attachée, disparaissaient les unes après les autres. Pour poursuivre leurs études, de très jeunes enfants étaient désormais tenus de voyager sur de longs parcours, souvent par de mauvaises routes rurales, emportant avec eux leurs repas, dans ces autobus scolaires de couleur jaune.

Une bonne partie de la population de nos campagnes était fort contrariée par de telles innovations, dont elle ne comprenait pas toujours le sens.

Puis, en pleine lutte électorale de 1966, la publication clandestine de certaines recommandations du rapport Parent, touchant la confessionnalité de l'éducation, contenues dans les volumes 4 et 5, avait semé la panique dans plusieurs secteurs de la population. L'Union Nationale en avait habilement tiré profit.

Parallèlement à ce bouleversement d'ordre scolaire, avait lieu la transformation de notre système hospitalier, affectant parfois des privilèges séculaires de certaines communautés religieuses. Qui que vous soyez, vous risquez désormais d'attendre pendant de longues heures, dans des salles bondées, avant de voir un médecin. Autant de mesures fort agaçantes pour une population peu entraînée à l'enrégimentation. Le coup de barre avait été trop violent.

De plus, le fait que certaines réformes instaurées par la Révolution tranquille paraissaient venir en conflit avec des valeurs fondamentales auxquelles nombre de fervents catholiques restaient profondément attachés, n'avait pas manqué de propager un sentiment d'inquiétude au sein de la population.

À part l'aspect religieux, lequel avait joué sans aucun doute un rôle important dans le résultat de l'élection du 5 juin 1966, l'augmentation spectaculaire des impôts, avec celle des nouvelles charges sociales, ainsi que la dissémination des conflits syndicaux, furent tout aussi déterminants. Ainsi, la grève des professionnels de la fonction publique avait paralysé l'administration provinciale au printemps de 1966, au cours de la campagne électorale, à une période critique de l'année où, en province, la population compte d'habitude sur des travaux provinciaux comme d'une source essentielle de revenu. Par ces arrêts de travail, des ministères-clefs, tels que l'Agriculture, les Travaux publics et la Voirie, avaient été réduits à une complète inactivité. Une telle déstabilisation de l'administration provinciale avait provoqué une source additionnelle de mécontentement à l'endroit du gouvernement Lesage.

C'est bien à tort, qu'en certains milieux, la défaite libérale de 1966 avait surtout été attribuée aux quelques erreurs de tactique de Jean Lesage. C'est chez certains membres de son entourage immédiat où il faut aller chercher les premiers responsables de cet échec électoral. Chez ceux, surtout, qui par leurs agissements avaient semé le doute et l'inquiétude parmi les classes populaires du Québec. N'eut été le charme personnel et les qualités humaines d'un Jean Lesage, le Parti libéral aurait alors subi une défaite encore plus cuisante.

Mais il ne faudrait pas pour autant minimiser l'importance de la contribution que Daniel Johnson avait apportée à la victoire remportée par l'Union Nationale, en 1966. Il avait su bâtir une nouvelle équipe et la diriger avec beaucoup d'habilité. Daniel Johnson avait surtout réussi à canaliser, à l'avantage de son parti, les effets du mécontentement populaire que la Révolution tranquille avait semé dans ses sillons.

Daniel Johnson tel que je l'ai connu

Né le 9 avril 1915, Daniel Johnson avait été élu député provincial de Bagot, à l'élection complémentaire du 18 décembre 1946, à l'âge de 31 ans. Il avait représenté ce comté sans interruption à l'Assemblée nationale, jusqu'à son décès prématuré, en 1968. D'abord nommé secrétaire parlementaire du premier ministre Duplessis en 1954, puis vice-président de la Chambre en 1956, il était ministre des Ressources hydrauliques, en 1958. Élu chef de l'Union Nationale, en 1961, il fut chef de l'opposition à l'Assemblée nationale, de 1961 à 1966, et premier ministre de la Province, de 1966 à son décès, en 1968.

Au cours de ma carrière politique, Daniel Johnson a été l'un de ceux qui m'ont assené les plus durs coups. Surtout au cours de l'élection générale tenue en 1962. Mais, aussi paradoxal que cela puisse paraître, il existe peu d'hommes politiques pour lesquels j'ai conservé un aussi bon souvenir.

Supérieurement intelligent, rusé comme un renard, Daniel Johnson était un infatigable travailleur. Excellent tribun, il faisait souvent appel aux sentiments plutôt qu'à la logique. Il était aussi un fin causeur, parfois flatteur, et il maniait l'humour avec un art consommé. Imbu d'une grande probité, s'il croyait avoir commis une injustice envers quelqu'un, fût-il un adversaire politique, il trouvait les moyens de s'en excuser.

Au cours de la lutte électorale de 1962, Daniel Johnson avait porté de graves accusations touchant les opérations forestières de la Manicouagan dont j'étais le point de mire comme ministre des Terres et Forêts. En particulier, lors d'une assemblée politique où il était le principal orateur, dans le comté de Saguenay, tel que rapporté par le journal *Le Devoir*, le 20 octobre 1962, il m'avait accusé de « malhonnêteté et de tripotage » dans les affaires de la Manicouagan. Il avait répété ces propos en plusieurs autres endroits de la Province. C'était une diversion à l'argumentation des Libéraux prônant les bienfaits de la nationalisation de l'électricité. Durant la campagne électorale de 1962, la Manicouagan et Bona Arsenault furent les deux cibles préférées de l'Union Nationale.

Quelques jours après le scrutin, alors que j'avais été réélu dans Matapédia, par une confortable majorité, et que le Parti libéral avait remporté 63 sièges contre 31 pour l'Union Nationale, j'ai défié publiquement Daniel Johnson de justifier une seule des accusations gratuites qu'il avait portées contre moi au cours de la campagne électorale. Mettant mon siège électoral en jeu et lui demandant d'en faire autant, je me suis alors engagé à démissionner et à abandonner la vie politique, s'il était prouvé que j'avais profité en quoi que ce soit des opérations forestières de la Manicouagan. Daniel Johnson, ébranlé par la défaite politique que l'Union Nationale venait de subir, ne répondit pas.

Les années passèrent. Quatre ans plus tard, en 1966, Daniel Johnson devint premier ministre du Québec. Il s'empressa alors de faire instituer une enquête approfondie au ministère des Terres et Forêts, touchant les opérations forestières de la Manicouagan. Comme rien ne fut trouvé qui aurait pu m'être reproché, Daniel Johnson, en honnête homme, se rendit compte qu'il avait été injuste à

Aux funérailles d'État du premier ministre Daniel Johnson, le 1er octobre 1968. Nous voyons Pierre Elliott Trudeau, premier ministre du Canada, accompagné de Jean-Jacques Bertrand, qui succédera à Daniel Johnson le lendemain, devenant ainsi le 22e premier ministre du Québec.

mon endroit et il l'avait regretté. D'autant plus, qu'à la même époque certains chroniqueurs politiques s'étaient inspirés de ces accusations pour lancer contre moi une ignoble campagne, visant à me détruire dans l'opinion publique. Ils se reconnaîtront sans doute à la lecture de ces lignes.

Au mois de septembre 1967, Daniel Johnson était victime d'une grave défaillance cardiaque. Il avait passé une longue convalescence à Hawaï. Se sentant sérieusement menacé, il avait sans doute décidé de mettre ordre à ses affaires.

Quelques mois plus tard, soit en mai 1968, la session parlementaire étant alors en cours, Daniel Johnson vint me trouver à mon siège, à la fin d'une séance du soir, pour m'inviter à l'accompagner à son bureau. C'était au cabinet de travail, réservé aux premiers ministres, attenant à la chambre des délibérations de l'Assemblée nationale. Il était 22 heures.

Plus de deux heures plus tard, il passait minuit, nous étions encore tous deux en grande conversation, pendant que l'un de ses secrétaires et son chauffeur attendaient toujours patiemment dans l'antichambre. Ils se demandaient sans doute ce qui pouvait bien se passer entre un premier ministre, chef de l'Union Nationale, et un député libéral siégeant dans l'opposition.

Ils ne pouvaient sûrement pas être plus étonnés que je l'étais moi-même de me trouver seul avec Daniel Johnson, premier ministre, à cette heure de la nuit. C'était d'ailleurs la première fois que j'entrais dans l'un de ses bureaux. Ce fut la dernière.

Au début de notre conversation j'étais sur la défensive. Je ne pouvais soupçonner le but d'une telle rencontre. Ce n'est qu'après une dizaine de minutes de conversation sur divers sujets que j'ai vraiment senti que Daniel Johnson regrettait avoir été injuste à mon endroit. Il était à la recherche d'une réconciliation complète qui lui assurerait la paix intérieure, dont il sentait le besoin.

Je me souviens parfaitement bien qu'il commença par me dire qu'il désirait me consulter relativement à un projet qu'il mijotait depuis quelque temps, touchant l'établissement d'un service aérien, fiable et sécuritaire, devant desservir la Gaspésie et l'Est du Québec. Or, jusque-là, Daniel Johnson n'avait jamais sollicité aucun conseil de moi, sur quoi que ce soit. C'était sans doute un habile prétexte, pour débuter la conversation.

Puis, s'engageant subtilement dans les problèmes forestiers de la Gaspésie, il en arriva bientôt à me parler des opérations forestières de la Manicouagan, de l'ouverture officielle de sa campagne électorale de 1962 à Amqui, dans mon propre comté de Matapédia, puis du sujet délicat qu'il avait voulu aborder en toute franchise avec moi. Il m'a retenu en sa compagnie jusqu'à ce qu'il fut absolument convaincu que je n'entretenais pas le moindre ressentiment à son endroit, à la suite des accusations qu'il avait portées à tort contre moi. J'étais sorti de son bureau profondément ému.

Moins de deux mois plus tard, soit le 3 juillet 1968, Daniel Johnson, victime d'une nouvelle crise cardiaque, était transporté d'urgence à l'Institut de cardiologie de Québec. Cette fois, il passera sa convalescence aux Bermudes.

Le 25 septembre, Daniel Johnson donnait une importante conférence de presse, diffusée sur les réseaux de Radio-Canada, que j'ai personnellement écoutée du premier au dernier mot. En cette circonstance il avait atteint un sommet qui, à mon avis, n'avait jamais été dépassé par un homme public au pays. Sitôt sa conférence de presse terminée, il se dirigea en avion vers les chantiers hydroélectriques de la Manicouagan pour présider aux cérémonies d'inauguration qui devaient avoir lieu le lendemain.

Au cours de cette même nuit, du 25 au 26 septembre Daniel Johnson est décédé dans son sommeil, foudroyé par une dernière attaque cardiaque, à quelques pas de cet immense barrage hydro-électrique qui portera désormais son nom. Après Maurice Duplessis et Paul Sauvé, il devenait le troisième premier ministre du Québec, tous chefs de l'Union Nationale, qui mourait en fonction, en moins de dix ans.

On peut apprécier diversement les politiques élaborées par Daniel Johnson, durant les courtes années où il a été premier ministre du Québec. Mais, il faut tenir compte du contexte agité de la période pendant laquelle il a exercé le pouvoir. Dans le domaine de la politique canadienne contemporaine, Daniel Johnson était un modéré, désireux de trouver les solutions aux divers problèmes dans un cadre constitutionnel qui éviterait la catastrophique séparation du Québec du reste du Canada.

À sa dernière conférence de presse, le mercredi 25 septembre 1968, il avait déclaré: « Il faut poursuivre nos buts avec l'assurance sereine qu'il y a deux cultures et, dans toutes les parties de ce pays, des hommes et des femmes qui œuvrent ensemble, dans l'amitié et la fraternité, pour bâtir le Canada de demain... »

Craignant que l'agitation nationaliste au Québec nuise à l'économie de la Province en y chassant les investissements, c'est toujours avec une grande prudence qu'il abordait le thème constitutionnel.

Soudainement disparu de la scène publique alors qu'il était dans la force de l'âge et au sommet de sa carrière, plein de talents, Daniel Johnson n'aura été premier ministre de sa province que pendant deux ans et quelques mois.

Jean-Jacques Bertrand, premier ministre

Le 2 octobre 1968, au lendemain des funérailles d'État de Daniel Johnson, Jean-Jacques Bertrand était désigné premier ministre du Québec, par une assemblée des députés et des conseillers législatifs de l'Union Nationale. Un congrès provincial, tenu au mois de juin 1969, l'avait confirmé chef permanent de son parti. Né le 10 juin 1916, Jean-Jacques Bertrand était âgé de 52 ans lorsqu'il devint premier ministre du Québec.

Il avait été élu député de Missisquoi pour la première fois aux élections générales de 1948, et réélu à toutes les élections subséquentes. Nommé secrétaire parlementaire du ministre des Terres et Forêts, en 1954, il devenait titulaire de ce ministère, en 1958, et ministre de la Jeunesse et des Affaires sociales, en 1960.

La modestie et la sincérité comptaient parmi les principaux traits de caractère de Jean-Jacques Bertrand. Il était aussi imbu d'une grande ténacité lorsqu'il se portait à la défense d'une cause qu'il croyait juste ou qu'il s'était fixé un objectif à atteindre. Je le comptais parmi mes meilleurs amis de l'Assemblée nationale.

Parmi les principales mesures que le gouvernement dirigé par Jean-Jacques Bertrand adopta durant son bref passage à l'administration de la Province, il faut mentionner la création du ministère de l'Immigration et celui de l'Information, ainsi que des deux sociétés d'Exploration minière et d'Initiative pétrolière. C'est également Jean-Jacques Bertrand qui a modifié le nom de l'Assemblée législative, en celui d'Assemblée nationale du Québec. Son gouvernement a également aboli le Conseil législatif et imposé, par législation, l'usage du français sur l'étiquetage des produits mis en vente au Québec.

Cette réglementation touchant l'étiquetage semble bien anodine. Pourtant elle a eu pour effet de vulgariser le fait français en notre pays, comme aucun autre moyen n'avait su le faire auparavant. Ainsi, avant cette décision du gouvernement Bertrand décrétant l'imposition du français dans l'étiquetage au Québec, nos magasins de détail regorgeaient de produits uniquement étiquetés en anglais.

Depuis l'application de cette mesure, non seulement se trouve-t-il des inscriptions françaises sur tous les articles mis en vente au Québec, mais ces étiquettes maintenant rédigées dans les deux langues, française et anglaise, pénètrent chaque jour dans tous les foyers canadiens, sans exception. D'où cette intarissable propagande au fait français, dans toutes les régions du Canada, rappelant sans cesse le caractère bilingue de notre pays. En effet, les manufacturiers et autres commerçants de toutes les provinces du pays ont opté en faveur de l'étiquetage bilingue de leurs produits depuis l'adoption de cette législation du gouvernement du Québec.

Le premier ministre du Québec, Jean-Jacques Bertrand, en compagnie de Son Éminence le cardinal Paul-Émile Léger, en 1969.

À titre d'exemple, ces produits conservent leur étiquetage bilingue même lorsqu'ils sont expédiés sur le marché américain. Il en est de même des contenants d'oranges de la région de Lakeland, en Floride, qui sont mis en marché aux États-Unis avec des étiquettes bilingues tels que vendus sur les comptoirs du Québec.

Jean-Jacques Bertrand savait toujours se rendre disponible. Ainsi, un jour, James Domengeaux, président du Conseil pour le développement du français en Louisiane, arriva inopinément à mon bureau de l'Assemblée nationale, en me disant qu'il voulait immédiatement rencontrer le premier ministre Bertrand. Il m'informa qu'il n'avait pas pris de rendez-vous. Principal associé d'une des plus importantes études légales de la Louisiane, riche copropriétaire de puits de pétrole, le cérémonial et le protocole ne l'avaient jamais embarrassé. Quand il désirait quelque chose, il fonçait dessus en bon Américain sûr de lui-même.

Après lui avoir expliqué qu'il est difficile de rencontrer un premier ministre du Québec, sans avoir été préalablement placé sur la liste des visiteurs de la journée, il me regarda calmement en me disant: «Je suis pressé, indique-moi où se trouve le cabinet de travail du premier ministre et viens avec moi.» Ce que je fis. Dix minutes plus tard, Jean-Jacques Bertrand nous recevais chaleureusement à bras ouverts dans son bureau qui avait été celui de Daniel Johnson, de Jean Lesage et de Maurice Duplessis.

James Domengeaux, déjà mentionné au début de ce volume, est le même personnage qui un jour avait tutoyé le président Charles de Gaulle avec son accent louisianais. Chef d'une délégation louisianaise qui avait rencontré les autorités françaises, à Paris, dans l'intérêt de la propagation de la langue française en Louisiane, en prenant congé du président de la France, qui avait tenu à le recevoir, James Domengeaux lui avait lancé: «Écoute-moi, De

Gaulle, lâche-nous pas. Si tu nous lâches, on est foutu.» Cet incident avait fait son tour de France, à l'époque.

Peu de personnes savent que Jean-Jacques Bertrand était d'origine acadienne par sa mère, Bernadette Bertrand, alors que par son père, Lorenzo Bertrand, il était de la lignée des Bertrand canadien-français. L'ancêtre maternel de Jean-Jacques Bertrand, Clément Bertrand, était arrivé à Port-Royal en Acadie en 1642, alors que son ancêtre paternel, Jean Bertrand, s'était établi à Montréal, une cinquantaine d'années plus tard. Coïncidence étrange, tous deux venaient du Poitou. Clément Bertrand, l'ancêtre maternel, était originaire de la région de Loudun, alors que Jean Bertrand, l'ancêtre paternel était natif de Laferrière, situé à moins de 90 kilomètres de Loudun. Ils habitaient donc tous deux approximativement la même région.

Le premier ministre et madame Jean-Jacques Bertrand, à droite, recevant monsieur et madame De Menton, consul général de France à Québec, en 1969.

L'ancêtre maternel acadien, Clément Bertrand, était charpentier. Il eut un fils, Claude, qui perpétua son nom en Acadie. À l'époque de la dispersion de 1755, un fils de Claude Bertrand, portant le nom de Jean Bertrand, demeurait à Chipoudy (Hopewell-Hill) dans la partie sud du Nouveau-Brunswick actuel. Il avait fait partie d'un groupe de quelques centaines de réfugiés acadiens qui, grâce à la présence de troupes françaises dans la région, avaient pu échapper à la déportation. Ils avaient été dirigés vers Québec par le commandant Charles de Boishébert.

Ce Jean Bertrand, fils de Claude et petit-fils de Clément avait épousé Françoise Léger, de Port-Royal. J'ai découvert son acte de sépulture dans les registres de Notre-Dame de Québec, daté du 21 décembre 1757. L'inscription précise: «Jean Bertrand, Acadien.» L'un de ses fils, du nom de Jean-Baptiste, n'était âgé que de seize ans, lors de la dispersion des Acadiens, en 1755. Nous le retrouvons à Lavaltrie, treize ans plus tard, alors qu'en juillet 1768 il avait épousé Geneviève Chevigny. Il était l'arrière grand-père maternel de Jean-Jacques Bertrand, qui s'est toujours montré attaché à ses origines acadiennes.

Devenu premier ministre de la province le 2 octobre 1968, Jean-Jacques Bertrand perdait le pouvoir aux mains de Robert Bourassa, aux élections générales tenues le 29 avril 1970. Il avait été en charge de l'administration du Québec, pendant moins de deux ans. Au cours des premiers mois de son entrée en fonction, comme premier ministre, il avait été victime d'une sérieuse défaillance cardiaque, qui l'avait obligé de prendre un repos complet de plusieurs semaines. À son retour de convalescence, il a dû modérer considérablement ses activités. Il est décédé le 22 février 1973, à l'âge de 56 ans.

Les élections générales de 1970

Après avoir dirigé l'opposition libérale de 1966 à 1969, Jean Lesage avait décidé de se retirer de la vie politique. De sérieuses dissensions avaient surgies au sein de son parti et sa santé avait commencé à décliner. En prenant une telle décision, il se rendait aux vœux souvent exprimés par les membres de sa famille.

La défaite libérale de 1966 avait profondément marqué Jean Lesage. Il ne s'en était vraiment jamais relevé. À la fin du mois d'août 1969 il avait démissionné de la direction du Parti libéral du Québec.

Le congrès provincial convoqué pour faire le choix de son successeur, a eu lieu à Québec, du 15 au 17 janvier 1970. Trois candidats s'étaient fait la lutte: Robert Bourassa, Claude Wagner et Pierre Laporte. Le vainqueur, Robert Bourassa, qui avait reçu l'appui discret mais efficace de Jean Lesage, l'emporta haut la main. Il avait obtenu 843 voix contre 455 à Claude Wagner, son plus proche adversaire. Pierre Laporte avait obtenu 283 votes.

Né à Montréal, le 14 juillet 1933, Robert Bourassa avait fait ses études de droit à l'Université de Montréal. Il avait obtenu sa maîtrise en sciences économiques et politiques de l'université d'Oxford en Angleterre, et il avait été diplômé en fiscalité et en droit corporatif par l'université Harvard, aux États-Unis. Après son élection comme député de Mercier à l'Assemblée nationale en 1966, il était devenu le critique financier du Parti libéral, en Chambre. De 1960 à 1963, il avait enseigné les sciences économiques et la fiscalité à l'Université d'Ottawa. Il avait aussi été professeur à l'Université Laval et aux universités de Montréal et Sir George William.

Aux élections d'avril 1970, Robert Bourassa, nouvellement élu chef du Parti libéral, avait remporté une grande victoire. Il avait fait élire 71 députés libéraux

Lors du Congrès libéral de 1970. Au premier plan, de gauche à droite: Claire Kirkland-Casgrain, député de Jacques-Cartier; Paul Desrochers, organisateur de la campagne de Robert Bourassa et par la suite son conseiller spécial; Robert Bourassa, élu chef du Parti libéral et premier ministre du Québec en cette même année. En arrière de Mme Kirkland-Casgrain, on reconnaît Louis-Philippe Lacroix, député des Îles-de-la-Madeleine.

contre 17 députés nationaux et 11 partisans du Ralliement créditiste de Camil Samson.

Dans Matapédia, en 1970, j'avais eu à lutter contre un adversaire de taille en la personne de Doris Lussier, que j'avais connu à la faculté des sciences sociales de l'Université Laval, tel que déjà mentionné. Il était universellement connu au Québec comme l'un de nos meilleurs artistes de la télévision, dans le personnage du *Père Gédéon*. J'avais alors dû redoubler d'efforts pour me faire réélire, d'autant plus qu'à l'élection précédente, celle de 1966, je n'avais récolté qu'une mince majorité de 22 voix.

De plus, trois autres candidats me faisaient la lutte: Jean-Paul Fiset, de l'Union Nationale; Guy Jean, du Ralliement créditiste; et Rodrigue Langelier, qu'un groupe de Libéraux dissidents du comté avaient présenté contre moi, comme Libéral indépendant, en vue d'essayer de me faire évincer.

Suivant tous les calculs humains les plus sophistiqués c'est Doris Lussier qui devait être élu député.

Dès le mois de septembre 1969, aussitôt après avoir été choisi candidat officiel du Parti québécois, soit huit mois avant la tenue des élections du 29 avril 1970, Doris Lussier avait établi domicile de même que son quartier général dans le comté de Matapédia, à Amqui. Sachant par expérience, que dans un comté, une élection se gagne ou se perd dans les dernières semaines, parfois les derniers jours d'une campagne électorale, je n'avais déclenché ma propre campagne que trois semaines avant le jour du scrutin.

Au cours de cette élection, le comté de Matapédia avait évidemment été le point de mire des journalistes du Québec et même de l'extérieur. Toute la population avait aussi les yeux rivés sur ce comté, comme les amateurs de hockey suivraient les péripéties d'un match entre deux équipes apparemment d'égales forces. C'était le spectacle Doris contre Bona.

Michel Roy, qui était déjà à l'époque l'un des journalistes les plus chevronnés de la province avait fait la tournée du comté de Matapédia au cours des derniers jours de cette campagne électorale. Il publiait ses constatations dans son journal *Le Devoir* de Montréal, deux jours avant la date du scrutin, soit le 27 avril 1970. J'en reproduis ici les paragraphes suivants, pour le plaisir et l'agrément de ceux et celles qui liront ces lignes:

> «...Bona Arsenault et Doris Lussier bataillent avec acharnement. Ce ne sont pas seulement deux

Mon ami Doris Lussier, aussi connu sous le nom de *Père Gédéon*.

candidats qui cherchent à se faire élire. Ce sont deux personnages qui s'affrontent. Le premier est adoré ou détesté mais ne laisse personne indifférent. Le second est admiré, tout au moins respecté par les 15,669 électeurs dont il a conquis l'estime et l'amitié depuis un an.

Il y a deux semaines, le suspense n'existait même pas ici : l'élection de Doris Lussier, espoir du Parti québécois dans cette région, était assuré par une forte majorité. Mais, en ce dernier week-end avant le scrutin, on ne sait plus lequel des deux géants va l'emporter.

Épuisé par les dernières étapes du combat, dormant peu, mangeant mal, parlant beaucoup, M. Lussier s'est effondré l'autre soir à Sainte-Paula. Transporté à l'hôpital de Matane, on le croyait vraiment malade. Mais, douze heures plus tard, il était sur pied. Il n'avait souffert que d'un malaise digestif.

Solide comme un vieux chêne, un peu plus nerveux qu'à l'ordinaire, la voix éraillée, Bona Arsenault déclarait dans son motel du Lac-au-Saumon qui lui sert de quartier général: « Je suis parti battu. Mais il y a le mythe Bona qui veut que si Bona s'en occupe, il va gagner. »

Or, avec les organisateurs qui lui sont restés fidèles, Bona s'en occupe, travaillant 15 heures par jour depuis trois semaines. Il dit: « Nous avons la plus forte organisation jamais constituée dans Matapédia ! » On ne sait si c'est vrai. Mais l'ancien ministre libéral, député du comté depuis 1960, l'affirme avec une telle assurance que tout le monde le croit.

À la permanence du Parti québécois d'Amqui, on ne s'arrête même pas à considérer l'hypothèse d'une défaite. Car, dit-on, si Doris ne passe pas ici, le Parti québécois ne passera nulle part. On reconnaît que la victoire ne faisait aucun doute à la mi-avril, qu'elle sera plus difficile mercredi. La grande offensive lancée par M. Arsenault était prévue, précise-t-on. Or, quelle que soit la puissance de cette contre-attaque, Bona (on parle plutôt de Bona que des libéraux) ne réussira pas à ébranler l'organisation et les structures que le PQ a mises en place. Et, l'organisateur en chef m'invite à examiner les organigrammes et les grands tableaux qui témoignent de l'encadrement des paroisses et des moyens dont disposent M. Lussier.

Mais, à l'instar de M. Arsenault, les organisateurs libéraux répandent partout que « Lussier en perd ».

Or, à le répéter ainsi de paroisse en paroisse, avec l'assurance de ceux qui ne trompent pas, on finit par croire que le candidat du PQ est vraiment en perte de vitesse.

....

Bona Arsenault est un vieux bagarreur d'élections. Il a tout prévu. « Voyez-vous, dit-il, Doris Lussier a semé partout. Mais ce n'est pas tout de semer, il faut récolter. Or, le PQ n'a pas l'organisation nécessaire. Leur récolte restera sur les champs. Ils ne pourront pas faire voter tous leurs partisans. Nous avons, au contraire, les moyens qu'il faut pour faire voter les nôtres. »

M. Arsenault énumère encore les facteurs qui jouent en sa faveur. « De 1960 à 1966, dit-il, grâce à moi, ce comté a connu une plus grande activité : des chemins d'accès en forêt ont été tracés ; des routes ont été refaites ; des bâtiments ont été construits ; les hommes et les femmes ont pu travailler ; de petites industries se sont développées. »... « Les gens, dit-il, se souviennent de cela. Ils s'en souviennent bien plus en 1970 qu'en 1966, parce qu'ils ont connu quatre années d'Union Nationale au cours desquelles rien n'a été accompli. »

« De plus, poursuit le candidat libéral, je suis le premier qui a prévu l'échec des entreprises du BAEQ dans la région. Papa avait raison. On s'en rend compte plus que jamais aujourd'hui. Quand j'ai accepté la candidature libérale, après avoir indiqué que j'abandonnais la politique, Doris Lussier avait déjà gagné le comté. Mais aujourd'hui, après plus de neuf mois de travail, il a brûlé toutes ses munitions. Je ne parle pas contre lui dans mes discours. C'est un charmant garçon que j'aime bien. Nous avons échangé des cadeaux à Noël. Récemment encore, j'ai déjeuné avec lui ....»

Vers la fin de la campagne électorale, l'organisation centrale du Parti libéral à Québec m'avait pressenti à l'effet que des pressions auraient pu être exercées sur Rodrigue Langelier, le candidat libéral indépendant, en vue de le convaincre d'abandonner la lutte. J'ai refusé toute intervention dans ce sens, sachant bien que le résultat de nos pointages systématiques et détaillés des listes électorales, rigoureusement effectués chaque semaine, nous indiquaient que Langelier, qui était le directeur de l'enseignement primaire à la Commission scolaire d'Amqui, obtiendrait un plus grand nombre de votes chez les sympathisants Péquistes que chez les Libéraux mécontents.

Au soir du 29 avril 1970, j'avais obtenu 4 319 votes; Doris Lussier, 3 805: Rodrigue Langelier, 1 655; et Guy Jean, 871. J'avais été élu par 514 voix de majorité sur mon plus proche adversaire, Doris Lussier.

Le lendemain matin, je rencontre par hasard un chaud partisan péquiste, fort irrité d'avoir perdu ses élections. Il m'apostropha en me disant: « Comment se senton quand on réussi à se faire élire par une aussi petite majorité après une aussi grosse campagne? — Beaucoup mieux, lui ai-je répondu, que celui qui s'est fait battre par la même majorité au cours de la même campagne. »

Il n'en reste pas moins que Doris Lussier avait été l'un des premiers à me téléphoner pour me transmettre ses félicitations. Il avait reçu une leçon vraiment pragmatique en *sciences politiques*.

Une lettre de Doris Lussier

À l'occasion du premier Noël qui avait suivi le choix de Doris Lussier comme candidat officiel du Parti québécois dans Matapédia, soit dès le début de décembre 1969, je lui avais fait parvenir mes bons souhaits en même temps qu'un exemplaire de l'un de mes volumes sur l'histoire des Acadiens. J'avais reçu en réponse, une copie de ses plus récents monologues accompagnés du bijou de lettre que je cite ici en entier. Ce document constitue une remarquable démonstration des égards que peuvent parfois avoir, l'un envers l'autre, deux candidats adverses dans une même lutte électorale.

Amqui, le 4 décembre 1969

Mon cher Bona,

C'est gentil comme toi — et je te reconnais bien à ce geste — de m'avoir envoyé ton livre. Je veux te dire merci avant d'en faire la joie de ma lecture pendant mon repos des Fêtes.

C'est tout une œuvre. Quel travail de bénédictin tu as dû faire, et que de recherches, pour arriver à cette Histoire des Acadiens qui, en plus de sa valeur scientifique, représente pour moi, Québécois, une valeur morale inépuisable d'exemple...

Quel destin que le nôtre!

Vu à travers l'expérience acadienne et l'expérience québécoise, il m'apparaît désormais comme lié à notre volonté commune de lucidité et de travail.

Quelle forme politique revêtira-t-il? Je pense qu'un avenir prochain nous en donnera une idée.

C'est pour cela que je suis heureux que les prochaines élections permettent aux Québécois — que nous sommes tous, je pense, avec la même ferveur — de faire leur choix entre la solution « Indépendance » et l'option « Confédération. »

Moi j'ai choisi la première, toi, tu crois à la seconde. Si bien que le prochain scrutin dépasse hautement nos *personnes* et se situe au niveau des *régimes politiques*.

C'est pourquoi je ne me sens pas gêné de défendre mes idées dans la Matapédia et la Gaspésie. Tu penses bien que je suis incapable de dire un mot contre ta personne. D'abord parce que tu es mon ami — et ça, pour moi, c'est une chose importante. Et ensuite parce que c'est contre mes principes d'attaquer les personnes. Je préfère discuter les problèmes et les idées. C'est plus serein.

C'est pourquoi tu peux être sûr que le feu du combat électoral, si intense peut-il être, ne verra jamais un mot passer mes lèvres pour te discréditer personnellement auprès des électeurs. Je sens trop le poids que portent les hommes publics pour ne pas respecter les efforts qu'ils font pour le bien commun du Québec.

Si tu le veux, nous allons faire de cette campagne électorale un chef-d'oeuvre de civilité, de courtoisie et, pourquoi pas, d'amitié civique. Je crois que nous sommes capables tous les deux de donner cet exemple de civilisation à nos concitoyens. Ils nous sauront gré, j'en suis sûr, de notre dignité.

Moi, tu le sais, je t'aime bien. Et si le vote te favorise, je serai le premier à t'appeler pour te dire mes félicitations. Et tu sauras qu'elles viendront de mon cœur.

En attendant la lutte, il y a les Fêtes qui approchent. J'en profite pour te dire mes voeux de bonheur. Je souhaite que ta santé reste à la mesure de ta volonté de travail et de tes espérances.

Sois heureux... il n'y a que ça de vrai.

Ton vieil ami
d'hier, d'aujourd'hui et de toujours,

Doris Lussier

1790, Place de la Falaise
St-Bruno de Montarville
P.Q.

Doris Lussier

P.S. Je t'envoie le dernier enfant du père Gédéon. J'aimerais que tu écoutes surtout «La Fenaison». C'est de tous les monologues du vieux celui que je préfère.

La crise d'Octobre

À l'automne de 1970, j'avais pu observer de près les péripéties de la première véritable crise de terrorisme ayant jamais surgie au Québec.

Au cours de l'été, des attentats à la bombe et autres actes de banditisme étaient signalés dans la région de Montréal, notamment à Westmount. Plusieurs arrestations avaient été effectuées. Puis, le 5 octobre 1970, des terroristes avaient procédé à l'enlèvement du diplomate britannique James Richard Cross, de sa résidence de Montréal. Parmi les conditions de sa libération, ils exigeaient le versement d'une rançon d'un demi-million de dollars, la mise en liberté d'un certain nombre de membres de leur groupe, ayant déjà été emprisonnés, ainsi que la publication d'un manifeste qu'ils avaient eux-mêmes rédigé.

Les gouvernements, tant fédéral que provincial, avaient refusé de céder à ce chantage. Des perquisitions avaient été faites partout, notamment dans les milieux indépendantistes. Au soir du 8 octobre, Radio-Canada avait cependant diffusé sur ses ondes le communiqué du Front de libération du Québec, indiquant que ce groupe de radicaux croyait pouvoir hâter l'indépendance du Québec du reste du Canada, en installant un régime de terreur en notre province.

Le 8 octobre, Pierre Laporte, ministre du Travail et de l'Immigration dans le gouvernement Bourassa, fut enlevé à son tour par des terroristes, en face de sa demeure de Saint-Lambert, près de Montréal, et séquestré en un lieu inconnu. La population était frappée de stupeur. D'autant plus que des rumeurs circulaient à l'effet que d'autres ministres ou députés d'allégeance libérale pourraient subir le même sort dans les heures qui suivraient.

Le premier ministre Bourassa, au cours d'une brève allocution télévisée, le 11 octobre 1970, avait demandé aux ravisseurs de James Richard Cross et de Pierre Laporte d'entrer en communication avec les autorités provinciales. Les ministres du gouvernement provincial, rassemblés aux derniers étages d'un hôtel de Montréal, étaient presque constamment en session. Ils avaient décrété l'application des dispositions spéciales prévues par la loi de police en cas d'urgence et, avec l'appui des autorités de la ville de Montréal, ils avaient demandé aux autorités fédérales d'appliquer leurs pouvoirs d'urgence au territoire du Québec.

C'est alors, qu'au cours de la nuit du 15 au 16 octobre, le gouvernement Trudeau, faisant suite aux requêtes du gouvernement du Québec et de la ville de Montréal, décréta l'application de la loi des mesures de guerre. Le FLQ avait été mis hors la loi et les arrestations de suspects pouvaient être effectués sans mandat.

Au même moment, des détachements de l'armée canadienne s'étaient dirigés vers le Québec, notamment en direction des villes de Montréal et de Québec, pour se porter à la rescousse des corps policiers. En cette seule nuit du 15 au 16 octobre 1970 plusieurs centaines de personnes avaient été arrêtées et jetées en prison, en attendant de comparaître devant un juge. D'autres devaient les rejoindre, au cours des semaines qui avaient suivi.

Des soldats en tenue de combat montaient la garde, nuit et jour, à l'avant et à l'arrière des résidences des ministres et députés. Un membre de la famille avait-il à sortir, un militaire devait lui tenir compagnie. Par exemple, pour me rendre dans mon comté en cette période de crise ou ailleurs à l'extérieur de la ville de Québec, je devais être escorté par des membres de la Sûreté provinciale, de même que pour le retour. Et cette situation avait duré pendant de longs mois.

Le dimanche 18 octobre 1970, à la consternation générale de la population, le corps inanimé de Pierre Laporte avait été retrouvé dans le coffre arrière d'une automobile abandonnée à l'aéroport Saint-Hubert dans la banlieue de Montréal. Il avait été assassiné la veille par strangulation.

Le premier ministre Bourassa annonça aussitôt que le nouveau pont, érigé sur le Saint-Laurent pour devenir le jumeau du pont de Québec, porterait le nom de Pierre Laporte. Il devait être inauguré quelques jours plus tard, soit le 7 novembre 1970.

De son côté, James Richard Cross avait heureusement été retrouvé sain et sauf le 3 décembre 1970. Tel qu'entendu, à la suite de négociations, ses ravisseurs avaient été envoyés en exil à Cuba. Puis, lorsque les diverses cellules de l'organisation du Front de libération du Québec auront été démantelées, que les présumés ravisseurs et meurtriers de Pierre Laporte auront été rejoints dans leurs derniers retranchements et emprisonnés, la crise d'Octobre, la pire épreuve subie par le gouvernement Bourassa, aura pris fin. Les effectifs de l'armée canadienne s'étaient retirés du Québec le 4 janvier 1971.

Le projet du siècle

L'aménagement hydro-électrique de la vallée de la rivière La Grande à la Baie James, connu depuis sous le nom de *projet du siècle*, restera sans doute la plus grande réalisation entreprise par Robert Bourassa en sa qualité de premier ministre du Québec.

C'est le 1 mai 1971, que le premier ministre Bourassa avait annoncé la décision de son gouvernement de développer les immenses ressources hydrauliques de cette lointaine région nordique du Québec. Au cours de la session parlementaire, alors en cours, un projet de loi avait été adopté créant la Société de développement de la Baie James, qui aurait la direction de cette colossale entreprise.

Pour les fins de la poursuite de ces travaux d'aménagement, un territoire de 410 000 milles carrés avait été requis des Amérindiens de la région, composés de Cris et d'Inuits, qui avaient accepté de céder leurs droits ancestraux, moyennant une forte compensation financière.

Et ces gigantesques travaux, poursuivis pendant plus de dix ans, ne sont pas encore terminés. Au cours de la dernière année, soit en 1982, le chantier de construction de la Baie James était encore l'un des plus importants de

Lisette et moi, lors d'une réception donnée par le premier ministre Robert Bourassa et son épouse, en 1975.

la Province, employant plus de 2 000 ouvriers. Avec le plus récent barrage qui vient d'être érigé, le LG-4, la rivière La Grande se trouve maintenant endiguée par 21 millions de mètres cubes de remblais et un million et demi de tonnes de béton, soit plus de béton qu'il en faudrait pour la construction d'un trottoir ayant trois mètres de largeur, de Halifax à Vancouver.

En dix ans, la Baie James est devenue l'une des principales sources de richesse du Québec. L'énorme quantité d'électricité produite par les centrales qui y ont été érigées, ajoutée au rendement provenant déjà des complexes de Manicouagan-Outardes, de Churchill Falls, et d'ailleurs, peut maintenant rapporter au Québec plusieurs milliards de dollars de revenu par année, lorsque nos formidables surplus d'électricité seront exportés à l'étranger, en particulier dans les États américains de la Nouvelle-Angleterre. Le nom de Robert Bourassa restera toujours associé à la mise en œuvre de cette immense entreprise.

Mes dernières élections

Aux élections générales tenues le 29 octobre 1973, le premier ministre Robert Bourassa avait remporté la victoire la plus spectaculaire de l'histoire politique du Québec: 102 comtés sur 110.

Le Parti de l'Union Nationale, alors dirigé par Gabriel Loubier, était complètement disparu dans cette tourmente électorale. Pas un seul député de l'Union Nationale n'avait été élu. De son côté, le Parti québécois, malgré le fait qu'il n'eût remporté que six sièges, était devenu l'opposition officielle en Chambre. Son chef, René Lévesque, n'avait cependant pas réussi à se faire élire dans le comté de Dorion.

Dans Matapédia, j'avais obtenu 7 389 voix contre les 4 973 votes enregistrés en faveur de mon plus proche adversaire, Gilles Dubé, le candidat du Parti québécois. J'avais donc été élu par 2 416 voix, soit la plus forte majorité que j'avais jamais obtenue dans le comté.

Trois ans plus tard, soit le 15 novembre 1976, de nouvelles élections générales étaient tenues dans la province. Aussi paradoxal que cela puisse paraître, cette fois, c'est le Parti québécois qui avait balayé le Québec, à la faveur d'un véritable raz de marée électoral. Même le premier ministre Bourassa n'avait pu survivre à la débâcle dans son propre comté de Mercier.

Le Parti québécois avait remporté 71 sièges; le Parti libéral, 26; l'Union Nationale, 11; le Parti créditiste, 1; et le Parti national populaire, 1.

Dans le comté de Matapédia, Léopold Marquis, le candidat du Parti québécois, avait été élu avec 10 741 voix. Il avait remporté le comté par la majorité sans précédent de 5 458 votes, alors que j'étais son principal adversaire. Ce sont là les impondérables de la politique. J'avais été député provincial du comté de Matapédia pendant plus de 16 ans, soit depuis 1960.

Un revirement aussi brutal de l'opinion publique contre le Parti libéral, à la grandeur de la Province, dans le court espace de trois ans, était dû à de multiples circonstances, dont plusieurs échappaient au contrôle du gouvernement Bourassa.

Outre la conjoncture économique, qui était décidément mauvaise, les principales causes de cette défaite libérale avaient sans doute été la politique préconisée par le gouvernement fédéral à l'époque en matière d'industrie laitière, et l'hostilité des unions ouvrières à l'endroit du gouvernement Bourassa.

Au moment de la tenue des élections de novembre 1976, la Commission fédérale de l'Industrie laitière avait décrété la diminution drastique des quotas de production de lait. Cette mesure avait eu pour effet de semer une véritable panique chez les cultivateurs, producteurs de lait du Québec, en raison de la baisse radicale de leurs revenus. Plusieurs d'entre eux ne pouvaient envisager que la faillite de leur entreprise.

Dans les régions rurales, un nombre incalculable d'électeurs et d'électrices ont alors voté contre le gouvernement Bourassa, en représailles de cette décision d'un organisme fédéral, déstabilisant la principale industrie agricole du Québec.

Les producteurs de lait étaient devenus aveuglément furieux contre tout ce qui était libéral, ne faisant plus de distinction entre les domaines fédéral et provincial. Les Libéraux d'Ottawa auraient voulu se débarrasser du gouvernement Bourassa qu'ils n'auraient pu inventer de plus sûr moyen.

Ainsi, sur la rive sud du Saint-Laurent, de Montréal à Gaspé, soit une distance de 600 milles, où se trouvent les plus beaux comtés agricoles du Québec, seuls deux candidats libéraux avaient alors pu réussir à se faire élire: Julien Giasson, dans Montmagny-L'Islet et Gérard D. Lévesque, dans Bonaventure. Dans mon comté de Matapédia, les restrictions sur la production du lait, décrétées par un organisme fédéral, avaient été la principale cause de ma propre défaite.

Puis, il y avait eu cette longue série de conflits ouvriers, de grèves sauvages et illégales se transformant sur le champ électoral en une levée de syndiqués forcenés ayant juré la perte du gouvernement Bourassa.

Parmi d'autres causes de la défaite libérale de 1976, il faut mentionner les répercussions de l'adoption de la Loi 22 sur la *langue officielle* ; les retombées de la Commission d'enquête sur le crime organisé (CECO) ; et la mauvaise humeur à l'endroit du gouvernement Bourassa de nombreux libéraux partisans et admirateurs inconditionnels du premier ministre Pierre Elliott Trudeau.

Enfin, un trop grand nombre de membres du cabinet de Robert Bourassa, désespérément dépourvus de sens politique le plus élémentaire ou faisant figure d'impuissants, étaient incapables d'apporter le moindre appui stratégique aux candidats libéraux en difficulté au cours de cette campagne électorale.

Une entrevue de Gilles Lesage

Quelques semaines après cette cinglante défaite, Gilles Lesage, alors chroniqueur au journal *Le Soleil* de Québec, me rendait visite. Je livre ici quelques-unes des impressions que je lui avais confiées, qui furent publiées dans son journal, en date du 24 décembre 1976. Je les répéterais, mot pour mot, encore aujourd'hui:

> «Bona Arsenault salue comme une «libération» personnelle sa défaite du 15 novembre et se réjouit de «l'euphorie» créée par la victoire du Parti québécois. Mais il craint les lendemains amers et il est convaincu que l'indépendance du Québec ne se fera jamais.
>
> Défait dans Matapédia, l'ex-ministre du gouvernement Lesage a déjà tourné la page et repris ce qu'il considère son œuvre véritable: l'histoire et la généalogie de ses compatriotes acadiens. L'œil vif, la démarche alerte, il est loin d'afficher ses 73 ans bien sonnés. Recevant le chroniqueur du Soleil dans la vaste et chaleureuse maison de la rue Marguerite-Bourgeoys, où il s'apprête à accueillir trente enfants et petits-enfants au réveillon de Noël, celui que tous appellent familièrement Bona hésite à faire un post-mortem. Il préfère se tourner vers l'avenir et faire confiance à la vie.
>
> À la fin de l'entrevue, pourtant, le franc-tireur qu'il demeure reprend le dessus et se laisse aller à

des appéciations à l'emporte-pièce qui ont fait sa notoriété durant ses 45 ans de vie publique, dont 12 à titre de député à Ottawa, et 16 à Québec.

Déjà en 1970 et en 1973, je voulais prendre ma retraite politique. M. Bourassa n'a pas voulu, la première fois pour que j'empêche l'élection de mon excellent ami Doris Lussier, la deuxième pour que je garde Matapédia dans le giron libéral. Cette année, c'est la politique qui m'a quitté, dit-il, guilleret, et c'est une délivrance personnelle. Il y a au Québec une atmosphère de détente qui me réjouit sur le plan démocratique.

Mais le Québec, estime M. Arsenault, s'est administré un soporifique, un calmant, et la détente ne peut être qu'artificielle et de courte durée. Pourquoi?

D'abord, explique le vieux renard, dès qu'il est élu, un parti se dirige inévitablement vers sa défaite, plus ou moins rapprochée, l'histoire le prouve amplement, au Québec même... Et plus ce parti suscite d'espoir, ce qui est le cas du PQ, plus la réaction est violente.

C'est la première fois, ajoute celui qui est en partie responsable de la venue de René Lévesque en politique, en 1960, que le Québec se donne un gouvernement alors que la très grande majorité des électeurs est contre l'objectif premier et essentiel de ce parti. Et cela est fort dangereux.

....

Je ne vivrai pas assez vieux pour voir le Québec indépendant. Pour se séparer, le Québec devrait basculer dans le camp socialiste, comme Castro. Et cela, jamais les États-Unis ne le laisseront faire. Les liens sont trop étroits, à commencer par la voie maritime du Saint-Laurent.

Et si Québec se séparait, pourquoi l'île de Montréal ou la Gaspésie ne le pourraient-elles pas, à leur tour? Et le Nord de l'Ontario? Et la Colombie britannique? Non, le Canada ne laissera jamais un tel effritement se faire, au besoin en se servant de l'armée.

. . . .

En dépit de cette vision apocalyptique, M. Arsenault se dit heureux de la venue démocratique du PQ au pouvoir, en ce qu'elle lui permettra — et surtout à ses extrémistes — de toucher aux dures réalités du pouvoir. Mais ce gouvernement est assis sur un volcan et le mécontentement qui l'a porté au pouvoir le perdra à son tour, d'ici quelques années.

. . . .

Quant à lui, il passe le flambeau avec le sourire, sans amertume, retournant à ses véritables amours: l'épopée acadienne, dont il parle avec ferveur.»

Et c'est ainsi qu'avait pris fin ma carrière politique en ce 15 novembre 1976.

VIII

MES TRAVAUX D'HISTOIRE ET DE GÉNÉALOGIE

Jusqu'à il y a une soixantaine d'années, de trop nombreux historiens, tant d'origine française qu'anglaise, s'étaient surtout appliqués à propager leur propre interprétation des épisodes historiques qu'ils ont décrits sans trop se soucier d'observer une rigoureuse objectivité, une technique éprouvée, dans la description des faits. C'est la réputation de l'auteur qui servait le plus souvent à garantir l'authenticité de l'énoncé historique. C'était autrefois une façon très répandue d'écrire l'histoire ainsi, soit sous la forme de l'exposé d'une thèse ou de la rédaction d'un article éditorial de journal.

Depuis cette époque, une nouvelle génération d'historiens a surgi, surtout au Québec, avec les Guy Frégault, les Michel Brunet, les Marcel Trudel, les Jean Hamel, les Fernand Ouellet et les autres, qui ont vraiment amorcé le renouveau de notre historiographie. Ils ont publié d'excellentes monographies historiques sous la forme du reportage d'une nouvelle, d'un événement dont ils auraient été les témoins oculaires, en ayant soin de reférer le lecteur à une abondante documentation historique.

On ne retrouve pas dans leurs œuvres, marquées au coin d'une rigoureuse technique, ces idées préconçues, ces jugements superficiels, ces préjugés favorables ou défavorables, suivant les circonstances, qui pullulent dans les travaux de leurs prédécesseurs d'une autre époque.

Dans l'élaboration de mes propres travaux historiques, je me suis inspiré de la discipline de ces novateurs. Je me suis efforcé d'appliquer leur méthode de travail, en particulier de celle de Guy Frégault, qui fut l'un de mes meilleurs amis.

J'ai écrit mon histoire des Acadiens tout comme si j'avais rédigé le compte rendu d'un événement dont j'avais personnellement été le témoin. Je prenais le soin de citer des documents authentiques à l'appui de mes textes ou mes références, en laissant au lecteur la tâche de former son jugement sur le fond du sujet traité. Ce fut là l'un des principaux secrets du succès de librairie remporté par mes travaux d'histoire et de généalogies acadiennes.

L'Acadie des Ancêtres

C'est à la suite de la parution de mon minuscule *Malgré les obstacles*, en 1953, que j'ai vraiment songé à entreprendre la rédaction de ma première œuvre historique.

Pendant mes longs séjours à Ottawa en qualité de député fédéral à partir de 1945, j'étais devenu l'un des habitués les plus assidus des Archives nationales de même que de la bibliothèque parlementaire de la Chambre des communes. Je m'étais dirigé vers ces lieux, où sont accumulées tant de richesses historiques, en vue de parfaire mes connaissances en histoire acadienne et d'en connaître davantage sur la généalogie de ma famille.

Je savais déjà que mon ancêtre, Pierre Arsenault, était arrivé de Rochefort, France, à Port-Royal, en Acadie en 1671. J'avais aussi appris au cours de mes lectures que, jeune pilote, Pierre Arsenault avait été l'un des principaux collaborateurs de Jacques Bourgeois, de Port-Royal, dans l'établissement d'une nouvelle colonie acadienne, qui porta d'abord le nom de colonie Bourgeois pour devenir par la suite Beaubassin dans la région actuelle d'Amherst en Nouvelle-Écosse. J'en avais éprouvé beaucoup de fierté. Cette connaissance n'avait pas manqué de stimuler mon intérêt pour les recherches historiques et généalogiques acadiennes.

Aux Archives nationales, mes fréquentes visites s'étaient souvent prolongées tard dans la nuit, accaparé comme je l'étais par la lecture de documents historiques touchant les anciens Acadiens, en particulier les actes des notaires de Paris et de La Rochelle, datant de l'époque de l'établissement de l'Acadie. J'y avais aussi découvert les copies des nombreux recensements tenus chez les Acadiens, de 1671 à 1752, ainsi que les copies des registres paroissiaux des principales localités de l'ancienne Acadie, qui avaient pu être récupérés après la Dispersion de 1755.

À la Bibliothèque nationale se trouvaient de nombreux volumes traitant de l'histoire acadienne, rédigés dans les deux langues française et anglaise. Ils avaient été écrits par des Canadiens français, des Canadiens anglais, des Anglo-américains, des Français ou des descendants d'Acadiens. Ces œuvres, pour la plupart, avaient un caractère polémique invitant à la confrontation et faisaient trop souvent appel à l'intolérance et au préjugé. Aucun de ces travaux n'aurait permis à un chercheur de connaître par une lecture de quelques heures l'essentiel de la série d'événements survenus en Acadie, de la fondation de Port-Royal en 1604, à la déportation des Acadiens en

1755, de façon à s'en faire une opinion sereine et objective.

À l'époque, je connaissais bien le père Archange Godbout, l'éminent historien et généalogiste, que je rencontrais fréquemment à sa résidence, au monastère des Franciscains à Montréal. Il avait été le fondateur des *Mémoires de la Société généalogique canadienne-française*, qu'il dirigea jusqu'à son décès en 1960. Ayant consacré une grande partie de sa vie aux recherches historiques il avait publié d'innombrables articles sur les Acadiens.

Vers 1953, je lui fis part du projet que j'avais conçu de publier un volume de vulgarisation de l'histoire acadienne, à l'occasion du deuxième centenaire de la Dispersion qui serait célébré en 1955. Il m'encouragea avec enthousiasme, m'aida de ses précieux conseils et manifesta tant d'intérêt dans la mise en œuvre de mon projet qu'il en devint par la suite le véritable mentor. C'est le *Conseil de la Vie française en Amérique*, sous la direction de Monseigneur Paul-Émile Gosselin, qui se chargea d'éditer ce volume, ayant pour titre *L'Acadie des Ancêtres*, qui fut lancé au mois de mars 1955.

Après en avoir fait la lecture, le père Archange Godbout, avait bien voulu m'adresser une lettre dans laquelle il écrivait: «*Votre histoire acadienne se lit comme un roman. Votre gerbe de fleurs aux fêtes acadiennes sera sûrement l'une des plus appréciées et, sans doute, la plus durable.* »

La cérémonie du lancement de mon premier livre d'histoire avait eu lieu au Cercle universitaire de Québec, en présence de plusieurs personnalités, dont Wilfrid Hamel, alors maire de la ville de Québec; Onésime Gagnon, ministre des Finances du Québec; Jean Lesage, ministre fédéral; le père Georges-Henri Lévesque, doyen de la faculté des sciences sociales de l'Université Laval; Monseigneur Paul-Émile Gosselin, secrétaire général du Conseil de la Vie française en Amérique; Cyrille Delâge, président du Conseil de l'Instruction publique et autres.

Dans ma présentation de l'*Acadie des Ancêtres* j'avais écrit:

> «Nous avons cru qu'à côté du livre savant, destiné aux spécialistes et aux techniciens, il y avait encore place pour une vulgarisation de l'histoire de l'ancienne Acadie, à la portée du lecteur moyen.
>
> Il appartenait aussi sans doute à un descendant d'Acadiens de publier, pour la première fois, la généalogie de toutes les familles d'Acadie dont il a été possible de retracer les noms, du début de la colonie jusqu'au lendemain du traité d'Utrecht.
>
> Nous nous sommes efforcés de présenter ces ancêtres acadiens à leurs descendants du vingtième siècle, tels que leurs contemporains les ont connus, avec leurs qualités mais aussi leurs faiblesses. Nous avons

À l'époque de la publication de *L'Acadie des Ancêtres*, en mars 1955.

essayé de décrire les malheurs dont ils ont été victimes, sans y mettre d'amertume, sans recourir au ressentiment, au préjugé ou à la passion.

C'est à la lumière de documents historiques, dont l'authenticité est rigoureusement établie, que nos lecteurs pourront former leur propre jugement, quant au comportement des gouvernants ou des hommes qui ont exercé leur influence sur le tragique destin du peuple acadien.

Puisse *l'Acadie des Ancêtres*, modeste contribution de l'auteur à la commémoration du deuxième centenaire de la dispersion, rappeler à notre jeunesse d'origine acadienne, des provinces maritimes, de la Louisiane, de la province de Québec ou d'ailleurs, l'émouvant souvenir de ses ancêtres et lui transmettre un message de fierté, de courage et de persévérance. »

Dix ans plus tard, soit au début de l'année 1965, je recevais un jour un appel téléphonique de l'Office national du film. Le cinéaste Léonard Forest qui était à l'appareil m'informait qu'ayant été chargé de produire un documentaire sur l'Acadie, il était autorisé à négocier l'acquisition de mes droits d'auteur sur mon histoire acadienne pour les fins de la réalisation du long métrage projeté.

Son œuvre cinématographique qui eu pour titre *Les Acadiens de la dispersion* fut inspirée de mes propres travaux historiques et fut filmée dans les Provinces de l'Atlantique, en Louisiane, de même qu'en France. J'ai également collaboré à la production de ce film, en qualité de narrateur, en compagnie du professeur Ernest Martin, de Paris, et du Dr Thomas J. Arceneaux, de Lafayette, en Louisiane.

Avant d'entrer en communication avec moi, Léonard Forest, au nom de l'Office national du film, avait à peu près tout lu ce que nos bibliothèques pouvaient offrir de travaux traitant de l'histoire acadienne.

C'est *L'Acadie des Ancêtres* qui avait retenu son attention.

Bonaventure 1760-1960

Du 17 au 21 août 1960, ont été célébrées les fêtes du bicentenaire de l'établissement des Acadiens à Bonaventure, sur la baie des Chaleurs en Gaspésie, ainsi que le premier centenaire de l'érection canonique de cette paroisse. Mon fils, Jean, alors jeune avocat, avait été nommé président du comité d'organisation de ces commémorations.

Le programme des fêtes était très élaboré et s'étendait sur cinq jours, du mercredi au dimanche inclusivement. Il comportait toute une série de démonstrations religieuses et civiles ainsi que de nombreuses attractions populaires. Parmi les principaux sujets au programme se trouvaient la réception liturgique de l'évêque du diocèse, Monseigneur Paul Bernier, qui présida à la célébration d'une messe pontificale; la bénédiction du nouveau couvent; l'ouverture officielle du musée de Bonaventure; des concerts de fanfare; des représentations de pageants historiques; des ralliements et discours de circonstances; des défilés de chars allégoriques; des représentations par la troupe montréalaise *Les Feux-follets*; des séances de chants et de danses de folklore; des combats de lutte et de boxe sur des arènes érigées sur le terrain du collège; une tombola particulièrement fréquentée et une messe d'action de grâce.

Mais, à quelque vingt-cinq années de distance, le souvenir le plus tangible qui peut rester de ce grand événement paroissial est sans doute le livre-souvenir intitulé *Bonaventure 1760-1960*, publié à cette occasion. L'équipe des chercheurs bénévoles qui s'étaient affairés à la compilation des éléments qui constituaient cette monographie était dirigée par le chanoine François Thibault, le curé de la paroisse, dont la principale collaboratrice avait été Madame Douglas Barette, née Juliette Gauthier, ma cousine germaine.

Le chanoine Thibault, un ami de longue date, m'avait invité à rédiger la partie historique de ce volume de même que la généalogie des familles de Bonaventure depuis leur établissement en 1760. Abondamment illustré, ce livre contenait en outre les biographies et photographies des principaux notables de la paroisse à l'époque, et de multiples informations sur les divers organismes paroissiaux ainsi que d'incalculables petits faits historiques tirés du livre des minutes du conseil municipal. Il était le fruit de la collaboration d'un grand nombre de personnes dévouées qui avaient voulu faire œuvre utile en présentant une documentation de première valeur, à la suite de plusieurs mois de recherches et de travail.

Je me souviens d'avoir alors passé de longues semaines et d'interminables nuits à scruter à la loupe toute la documentation que pouvait contenir la voûte du presbytère et à feuilleter les pages des registres paroissiaux en prenant bonne note des actes qui y étaient inscrits, pour les fins de la tâche que j'avais entreprise. Je logeais au presbytère même, dans une grande chambre qui m'avait été assignée pour la durée de ma mission. C'est avec la curiosité et la ferveur d'un moine du Moyen Âge que je palpais ces reliques du passé.

C'est ainsi qu'un «enfant de la paroisse», pour me servir des propres termes du chanoine Thibault, rédigea la partie historique et généalogique de *Bonaventure 1760-1960*, ce souvenir précieux des célébrations du bicentenaire de ma paroisse natale, en 1960.

Ma première œuvre historique, *L'Acadie des Ancêtres*, n'avait été qu'une esquisse de quelque trois cents pages, comprenant un résumé de l'histoire du peuple acadien ainsi que le dénombrement des premières familles françaises établies en Acadie, jusqu'en 1713, soit au lendemain du traité d'Utrecht.

Ce modeste volume répondait sûrement à un urgent besoin puisqu'en l'espace de quelques mois, en cette année du deuxième centenaire de la dispersion des Acadiens, cette première édition était épuisée.

Par la suite, un grand nombre de descendants d'Acadiens, en particulier ceux de la Louisiane, ne se contentaient plus des bribes généalogiques contenues dans l'Acadie des Ancêtres. Ils voulaient en savoir plus long sur la généalogie de leurs familles. Pendant des années j'ai été littéralement inondé de demandes de renseignements d'ordre généalogique provenant de partout. Encouragé par ce premier succès et par le vif intérêt déclenché en faveur des généalogies acadiennes, je me remis bientôt au travail en vue de la publication d'une nouvelle édition.

C'est en 1965, que le *Conseil de la Vie française en Amérique* acceptait de nouveau de publier cette deuxième édition, sous le titre d'*Histoire et Généalogie des Acadiens*, en format de deux tomes constituant près de douze cents pages.

Cette nouvelle œuvre comprenait une partie historique relatant la vie du peuple acadien depuis ses débuts jusqu'à l'époque de la Dispersion ainsi qu'une seconde partie comportant la généalogie des familles acadiennes des divers établissements de l'ancienne Acadie, jusqu'au lendemain de la tragédie de 1755. Cette deuxième édition constituait un instrument de travail qui, pour la première fois dans l'Histoire, facilitait la tâche aux descendants d'Acadiens de reconstituer la généalogie de leurs familles jusqu'à leurs premiers ancêtres d'Acadie, suscita partout le plus grand intérêt.

C'est Louis J. Robichaud, alors premier ministre du Nouveau-Brunswick, qui en avait fait la présentation. J'en détache les quelques paragraphes suivants:

> «...Il y a dix ans, à l'occasion du deuxième centenaire des tragiques événements de 1755, Bona Arsenault publiait un premier ouvrage historique: *L'Acadie des Ancêtres*, qui connut un grand succès.
>
> C'était un premier appel, une première tentative de ralliement des familles acadiennes dispersées à travers le monde, qui déclencha un intérêt nouveau dans le domaine des recherches historiques et généalogiques, partout où se trouvent des pionniers de l'Acadie.
>
> Aujourd'hui, Bona Arsenault nous offre un travail d'une envergure exceptionnelle dont *L'Acadie des Ancêtres* aura servi d'inspiration, de pierre de base. Après de longues années de travail méthodique et minutieux, de patientes recherches dans les archives publiques et privées, de correspondances, de lectures, d'accumulation de notes, voici le résultat: *Histoire et Généalogie des Acadiens*.
>
> En deux tomes formant près de douze cents pages, cette œuvre comprend une partie historique, qui constitue une excellente étude, objective et judicieuse, de la vie du peuple acadien à travers les âges, en Acadie d'abord, ainsi que dans les diverses régions du monde où les Acadiens se sont établis après la dispersion. Puis une partie généalogique, la plus complète jamais publiée, qui a exigé de l'auteur une ténacité et une persévérance bien acadienne et une conscience historique qui peut servir d'exemple à la jeune génération.

Parce que rien de ce qui touche à l'histoire de l'Acadie ne peut me laisser indifférent et parce que l'auteur est mon ami, c'est avec une légitime fierté que je salue la publication d'une œuvre d'une telle importance qui restera l'un des plus durables monuments élevé à la mémoire de nos ancêtres acadiens.

Louis J. Robichaud
Premier ministre du Nouveau-Brunswick

Fredericton, N.-B.
Avril 1965

De son côté, le Dr Louis-Philippe Roy, alors rédacteur en chef de *L'Action* de Québec, écrivait un éditorial commentant cette œuvre, en date du 23 août 1965, dont je détache les quelques passages suivants :

«...Il s'agit d'une œuvre double, c'est à dire de l'histoire si attachante de l'héroïque peuple acadien et de la généalogie des familles acadiennes.

Quel monument à la gloire des Acadiens que cette histoire définitive sur le petit peuple acadien devenu grand nonobstant la dispersion infâme, que cette généalogie complète des familles venues fonder Port-Royal ou qui s'y sont implantées après la dispersion !

Ténacité, persévérance, conscience historique, oui, Bona Arsenault a fait preuve de tout cela. Ajoutons, et ceci ne gâte rien: un style vivant, une présentation claire, une méthode rigoureuse; et pardessus tout peut-être, sans rien perdre de l'objectivité indispensable en pareille matière, un souffle patriotique qui anime toute ces pages... »

Lorsque j'avais publié *L'Acadie des Ancêtres*, en 1955, j'étais alors député fédéral. Malgré mes diverses occupations il me restait toutefois quelques loisirs. Mais il en était tout autrement lors de ma publication de l'*Histoire et*

Généalogie des Acadiens en deux tomes, contenant 1 118 pages, en 1965. J'étais cette fois devenu député provincial et ministre dans le gouvernement du Québec. Ce n'est alors que par des prodiges d'ingéniosité que j'ai pu trouver les précieuses heures qui m'étaient devenues essentielles pour compléter ces travaux d'histoire et de généalogie.

J'avais alors dû, pendant de longs mois, non seulement sacrifier le moindre de mes loisirs, mais changer mes habitudes de vie au point de refuser toutes les invitations que je recevais pour dîner à l'extérieur ou pour participer à des événements sociaux de toute nature. Et il faut avoir été ministre dans un gouvernement provincial pour savoir jusqu'à quel point il est parfois difficile de se soustraire à de telles contraintes.

De plus, lors de l'impression de mes volumes, alors que je devais voir personnellement aux ultimes retouches de certains textes ou à la surveillance de la correction des épreuves, je n'avais trouvé que le stratagème suivant pour me mettre à l'abri des appels téléphoniques pendant quelques heures par jour: je me levais à quatre heures du matin, après avoir pris un café je pouvais travailler sur mes textes jusqu'à huit heures de façon à arriver à mon bureau du parlement pour neuf heures. J'avais ainsi complété près de quatre heures de travail absorbant, soit près d'une demi-journée, sans avoir été le moindrement distrait par qui que ce soit. C'est dire que dans la vie, on peut toujours accomplir ce que l'on a vraiment décidé d'entreprendre, à la condition toutefois de recourir aux bons moyens, fussent-ils d'ordre spartiate.

Version anglaise et manuel français

Ces deux éditions de vulgarisation de l'histoire et de la généalogie des Acadiens avaient connu une grande faveur populaire et suscité un nouvel intérêt pour l'étude de l'histoire acadienne.

C'est alors que de multiples demandes m'étaient parvenues de divers milieux, en particulier des Provinces de l'Atlantique et de la Louisiane, pour la publication d'une traduction anglaise de mon histoire des Acadiens, revue, corrigée et dotée d'un important chapitre sur les descendants d'Acadiens de la Louisiane, telle que parue dans ma deuxième édition. En plus de cette version anglaise, traitant uniquement d'histoire, mes amis de la Louisiane insistaient sur l'importance pour eux d'avoir également à leur disposition un manuel d'histoire rédigé en français, pouvant servir pour l'enseignement de l'histoire acadienne dans certaines de leurs institutions.

C'est pour faire suite à ces pressantes demandes que, dès 1966, j'ai publié deux éditions reliées, l'une anglaise et l'autre française, tirées de mon *Histoire et Généalogie des Acadiens*, pouvant servir de manuel scolaire: *History of the Acadians*, comptant 265 pages, et Histoire des Acadiens, de 331 pages.

Mes éditeurs de l'époque, le *Conseil de la Vie française*, présentaient ces éditions dans les termes suivants:

> «Le présent volume offre une synthèse rigoureusement objective de l'histoire du peuple acadien, depuis les premiers jours de l'Acadie jusqu'à l'époque qui a suivi l'historique déportation de 1755.
>
> En faisant une utilisation judicieuse des nombreuses sources auxquelles il a eu recours, l'auteur fait ressortir les divers épisodes de cette émouvante histoire sous des aspects nouveaux. De plus, il présente la documentation la plus complète jamais publiée, sur l'établissement des Acadiens au Québec, en Louisiane, dans les provinces maritimes et ailleurs dans le monde, à la suite de leur expulsion d'Acadie.
>
> Lui-même descendant d'Acadiens établis au Québec après la dispersion, l'auteur a été député au

Parlement canadien de 1945 à 1957, de même que membre de la Législature du Québec et ministre dans le gouvernement de la province de Québec depuis 1960.

Après de nombreuses années de patientes recherches, il lançait, en 1955, son premier ouvrage sur l'histoire acadienne intitulé: *L'Acadie des Ancêtres*. Poursuivant inlassablement son travail de documentation, il était en mesure, en 1965, de publier une œuvre monumentale, en deux volumes formant 1 118 pages, sous le titre d'*Histoire et Généalogie des Acadiens*.

Le présent ouvrage est une édition tirée de la partie historique de l'*Histoire et Généalogie des Acadiens*, reçue partout avec enthousiasme, en particulier au Québec, en Louisiane et dans les provinces maritimes.

Le Conseil de la Vie française en Amérique

Ces précis de l'histoire acadienne, pouvant commodément servir de manuels scolaires, étaient rapidement disparus des tablettes des librairies.

Louisbourg 1713-1758

Jusqu'à ce que j'aie publié un abrégé de l'histoire de Louisbourg de quelque 240 pages, en 1971, il n'existait aucune publication française de l'histoire de cette ville-forteresse française, établie au Cap-Breton au lendemain de la cession de l'Acadie à l'Angleterre, soit en 1713. Le seul volume qui pouvait être consulté à ce sujet avait été écrit en 1918 et publié à Londres, en Angleterre, par J. S. McLennan, sous le titre de *Louisbourg from its foundation to its fall*. Cette œuvre sérieuse et très documentée, ayant requis de son auteur de nombreuses années de recherches, avait été rédigée de façon particulièrement objective. Ce fut là l'une des principales sources de documentation qui étaient à ma portée, avec le *François Bigot, administrateur français*, de Guy Frégault, dont le premier tome avait été publié en 1948, et le manuscrit inédit de Jehan-Eric Labignette, que j'ai consulté aux archives, sur le conseil de mon ami Raymond Douville, alors sous-secrétaire de la Province.

Le nom de Jehan-Éric Labignette ne dit sans doute rien au plus grand nombre de mes lecteurs et lectrices, n'ayant jamais publié quoi que ce soit, à ma connaissance. Il était un officier retraité de l'armée française, qui est décédé accidentellement, en 1965, après avoir été le représentant des Archives du Québec, à Paris.

Il avait consacré de nombreuses années de sa vie à accumuler une grande variété de documents les plus disparates sur l'histoire de Louisbourg, dont il semblait vraiment obsédé. Ses manuscrits, versés aux Archives du Québec, après son décès, contiennent une multitude de mémoires et de citations historiques que Jehan-Eric Labignette avait patiemment puisés dans les diverses archives de France. Rédigée sous forme de thèse, cette volumineuse documentation constitue une source précieuse d'information pour la reconstitution d'une partie importante de l'histoire de Louisbourg.

Lors de la publication de mon *Louisbourg 1713-1758*, **Le Conseil de la Vie française en Amérique**, qui s'était également chargé de cette édition, rédigeait la présentation suivante :

> « Personne ne peut rester indifférent à la lecture de cette attachante histoire de Louisbourg. Ce livre fort documenté, outre sa valeur historique, est profondément humain.
>
> Après avoir placé ses lecteurs dans l'ambiance du dix-huitième siècle, l'auteur, avec une franchise par-

fois brutale, leur révèle le comportement des hommes qui ont contribué, les uns à l'édification de cette ville-forteresse, les autres à sa destruction.

Il nous conduit, comme par la main, à travers les diverses étapes de l'existence de Louisbourg; il projette une nouvelle clarté sur les épisodes les plus décisifs de son histoire; il offre des réponses sûres aux multiples questions qui peuvent surgir en notre esprit quant à son étrange destin.

Bien connu pour ses travaux historiques et généalogiques, l'auteur, en présentant *Louisbourg 1713-1758*, enrichit notre Histoire d'une œuvre essentielle qui arrive à son heure.

Nous sommes en effet à l'heure où Louisbourg, cette forteresse disparue depuis plus de deux siècles, retrouve de plus en plus sa place dans l'actualité contemporaine, grâce à l'heureuse initiative et aux efforts spectaculaires du gouvernement canadien qui la font renaître de ses cendres et lui restituent son profil du dix-huitième siècle.

Le Conseil de la Vie française en Amérique

Histoire et Généalogie des Acadiens, en six tomes

Le tirage de mon *Histoire et Généalogie des Acadiens*, publié en 1965, en deux volumes, était depuis longtemps épuisé lorsque, devant les incessantes sollicitations qui me parvenaient, en particulier de la Louisiane, je décidai de remettre de nouveau mon travail sur le métier, d'en entreprendre la révision complète, tout en songeant à l'éventuelle publication d'une troisième édition.

Puisant à de multiples sources nouvelles et plus profondément à même les trésors historiques et généalogiques accumulés aux Archives nationales du Canada, à Ottawa, ainsi qu'aux Archives du Québec; de même qu'au Centre des Études acadiennes de l'Université de Moncton et aux archives du diocèse de Baton Rouge, où sont déposés la plupart des premiers registres paroissiaux de la Louisiane, j'ai pu apporter de nouvelles précisions à l'œuvre que j'avais publiée en 1965, ajoutant plusieurs générations aux généalogies de la plupart des familles acadiennes et inscrivant des milliers de noms nouveaux.

De plus, dans cette nouvelle édition, comprenant six tomes et 2 646 pages, que les Éditions Leméac a publiée à Montréal en novembre 1978, paraissaient pour la première fois les recensements de Plaisance, ainsi que les premiers registres des îles de la Madeleine, des îles Saint-Pierre et Miquelon, de Belle-Île-en-Mer, de la Louisiane et de Louisbourg, de même que la nomenclature des Acadiens et des Français, de l'est du pays, se trouvant dans la région de Bordeaux, en France, à la suite du traité de paix de 1763. La publication de ces divers documents ouvrait de nouveaux horizons aux descendants d'Acadiens ou de Français dont les ancêtres ont séjourné nombreux, à diverses époques, en ces différents établissements.

Parmi les témoignages que j'ai reçus à la suite du lancement de cette dernière œuvre je m'en voudrais de ne pas signaler celui d'Albert Brie, paru dans le journal *L'Évangéline* de Moncton, en février 1979. Cet éminent journaliste, particulièrement bien connu des lecteurs du *Devoir* de Montréal, écrivait ce qui suit:

Une oeuvre magistrale

....

« La plupart des Québécois n'avaient qu'un repère pour identifier, distinguer nos frères d'origine: leur déportation en 1755. Nous savions aussi que beaucoup de descendants de rapatriés ont essaimé à travers le Québec... Nous apprenons aussi, pour les visiter plus qu'avant, que les Acadiens du pays sont chaleureux, que leur accent et leurs expressions ont un charme que nous leur envions.

Depuis quelques années, nous apprenons à faire plus ample connaissance par les chansons de leurs troubadours et de leurs poètes, par les contes de leurs écrivains, que nous attirons chez nous, parce qu'ils ont cette voix du pays que nous reconnaissons de la famille.

Ces retrouvailles sont émouvantes comme une visite de la parenté, mais exigent, pour être d'une sincérité authentique, de dépasser les transports éphémères d'une fête au village, car l'Acadie, c'est plus l'Acadie des manifestations les plus éclatantes de son pittoresque culturel.

Pour s'en convaincre, il n'est que de parcourir *Histoire et Généalogie des Acadiens*, de Bona Arsenault, un ouvrage extraordinaire en six volumes, magnifiquement présenté, que viennent de publier les Éditions Leméac.

Pour le grand public, Bona Arsenault, c'est d'abord l'homme politique qui fit parler de lui de 1945 à 1976. On sait moins que M. Arsenault est aussi un savant historien et généalogiste. En 1953, il publiait *Malgré les obstacles* ; en 1955, *L'Acadie des Ancêtres* ; en 1960, Bonaventure 1760-1960; en 1965, *Histoire et Généalogie des Acadiens*, en deux tomes; *Louisbourg 1713-1758*, en 1971.

Histoire et Généalogie des Acadiens est une réédition de l'ouvrage de 1965, mais considérablememt augmentée, mise à jour et beaucoup plus facile de consultation. Les six volumes sont enchâssés dans une boîte qui reproduit le Royaume d'Acadie, ornée d'une illustration représentant la symbolique de l'union des hommes et des esprits célestes.

C'est plus qu'une histoire de l'Acadie, c'est celle plus authentique des Acadiens. L'auteur a tracé la grande geste d'un peuple à travers les vicissitudes de son errance. Il ne fait pas l'épopée des chefs, des maîtres, des notables. Non pas qu'il les oublie, mais ils ne sont pas suspendus dans l'air, tout abstraits de la société qu'ils dominent.

Bona Arsenault réussit à nous les montrer d'âge en âge, tandis que l'Acadie se bâtit, se brise, se ressaisit, se voit déposséder et tente de renaître. Il nous fait voir les Acadiens avec leurs façons de vivre, leurs formes sociales et administratives, leurs usages, leurs croyances, leurs techniques, leurs manières de penser et de sentir, sources de leurs malheurs et de leurs espoirs. Il a fallu à l'auteur une somme de travail gigantesque pour recueillir ces recensements et les vieux registres des îles de la Madeleine, Saint-Pierre et Miquelon, Belle-Île-en-Mer, de la Louisiane et de Louisbourg, de même que la nomenclature des Acadiens et des Français se trouvant en France, dans la région de Bordeaux.

Cette généalogie ne constitue pourtant que des additions à l'ouvrage de base qui rassemble la généalogie des Acadiens de vieille souche, qui occupe le premier pays des ancêtres.

Œuvre magistrale, *Histoire et Généalogie des Acadiens* fera époque dans les annales d'une Acadie en marche vers l'appropriation de son territoire intérieur.

Albert Brie

Mes éditeurs avaient fait imprimer deux mille séries de cette dernière édition, comptant six tomes, tout comme il en avait été de la version d'*Histoire et Généalogie des Acadiens* publiée en 1965. D'ailleurs tous mes autres volumes d'histoire ont été édités à deux mille exemplaires.

De plus, en 1978, les Éditions Leméac avaient publié une deuxième édition de la version anglaise de mon *Histoire des Acadiens*, telle qu'éditée en 1966 sous le titre de *History of the Acadians*, afin de pouvoir en inclure un exemplaire dans chacune des séries d'histoire et de généalogie destinée au client de langue anglaise du marché nord-américain.

Quant à la généalogie des Acadiens, que j'ai publiée grâce à la laborieuse compilation des divers recensements, registres paroissiaux et autres documents précieux consultés aux archives, il n'est pas exagéré d'affirmer que je suis le seul auteur ayant placé à la disposition du public une documentation aussi abondante et diversifiée, touchant ce périlleux domaine de la généalogie acadienne, où la moindre imperfection peut prendre une importance démesurée aux yeux du profane peu initié en la matière.

Les Registres de Bonaventure

Pour terminer cette nomenclature de mes travaux d'histoire et de généalogie, je dois ajouter, qu'en ces toutes dernières années, soit en 1981 et en 1982, j'ai publié sous forme abrégée tous les actes paraissant aux registres de ma paroisse natale de Bonaventure, depuis 1791 jusqu'à 1960.

Les premiers registres des baptêmes, mariages et sépultures de la paroisse de Bonaventure antérieurs à l'an 1791 comptaient parmi les plus anciens de la Gaspésie, puisque la seigneurie de Bonaventure avait été constituée en 1697. Ils furent détruits dans l'incendie de la première église de Bonaventure[1] en 1791. C'est en cette même an-

1. Voir l'emplacement de cette première église, qui portait alors le nom de chapelle, sur le plan de Bonaventure, datant de 1765, reproduit en appendice.

née, après l'incendie, que le missionnaire Joseph-Mathurin Bourg ouvrit les registres actuels de la paroisse. Ce sinistre avait non seulement causé l'irréparable perte des plus anciens registres de Bonaventure, mais aussi la disparition des registres des autres missions de la Gaspésie, desservies à l'époque par des missionnaires domiciliés à Bonaventure jusqu'en 1773.

Dans la publication de ces registres de Bonaventure, en deux tomes de quelque 400 pages chacun, dont l'un couvre les années de 1791 à 1900, et l'autre de 1900 à 1960 [2], se trouvent également de nombreux actes de baptêmes, mariages et sépultures, provenant des missions situées à l'époque sur le versant sud de la Gaspésie, de New-Richmond à Rivière-au-Renard.

Ces deux volumes contiennent en outre des notes historiques importantes, dont plusieurs sont inédites, touchant l'établissement de Bonaventure, le premier poste de pêche et de commerce installé sur la rive nord de la baie des Chaleurs, après la conquête du Canada en 1960.

---

2. En vente au presbytère de Bonaventure, Bonaventure, (Québec), G0C 1E0.

IX

UN HOMME HEUREUX

L'optimiste commet sans doute un aussi grand nombre d'erreurs dans sa vie que le pessimiste, mais il vit tellement plus heureux. Ce fut mon cas.

Bien que je célébrerai mon quatre-vingtième anniversaire de naissance le 4 octobre de la présente année 1983, je n'ai pas encore connu ce qu'est la vieillesse. Doué d'une véritable santé de fer, un don héréditaire qui est généreusement partagé dans ma lignée familiale, je ne ressens encore aucun des malaises qui sont ordinairement l'apanage de personnes ayant atteint un certain âge. J'en remercie la Providence tous les jours.

Debout vers six heures du matin, parfois plus tôt, je besogne toute la journée comme si j'avais vingt ans de moins. Travaillant rarement le soir, je disparais de la circulation vers les dix heures au plus tard depuis nombre d'années. Il me faudra cependant toujours ma sieste d'une heure chaque jour après le repas du midi. C'est une vieille habitude de toute une vie. Le cinéma, connais pas. Le golf, non plus. Les jeux de cartes, encore moins. On ne peut, au cours d'une vie se passionner pour de tels divertissements tout en se consacrant à de laborieuses recherches historiques et généalogiques et en publiant des séries de volumes. D'autant plus qu'il y a aussi la tâche quotidienne ordinaire à remplir. Il m'a fallu faire un choix.

Né en Gaspésie, j'ai toujours aimé humer l'air salin de la mer et le vent du large. Je ne considère pas être en vacances si je ne suis pas sur une plage. La natation est véritablement le seul sport que j'ai pratiqué avec persévérance, durant toute ma vie, lorsque la mer était à ma portée. Depuis une dizaine d'années, soit depuis mon mariage en secondes noces avec Lisette Fortier le 11 janvier 1973, j'ai eu de plus nombreuses occasions de m'adonner à ce

Lisette et moi, lors de notre mariage le 11 janvier 1973, à l'église de Bonaventure. Le R. Gilbert Desrosiers, curé de la paroisse, officiait la cérémonie.

sport revigorant, comme aussi d'apprécier les bienfaits que procurent à la santé les longues marches le long des plages sous un soleil radieux.

En effet, nous partageons notre temps, Lisette et moi, entre notre domicile de Sillery dans la banlieue de Québec, où nous passons une partie de l'hiver, notre résidence de Bonaventure sur la baie des Chaleurs, où nous demeurons pendant les mois d'été, et notre séjour annuel de quelques mois à Clearwater Beach, en Floride.

Rien au monde ne pourrait nous empêcher, Lisette et moi, de nous trouver à Québec au cours de la période des fêtes, alors que depuis maintenant dix ans, Lisette a établi la tradition de recevoir les enfants et petits-enfants de nos deux premiers mariages, soit plus d'une trentaine d'invités, chaque Noël au soir avec d'abondants échanges de cadeaux.

Pendant de longues semaines, Lisette met à contribution toute sa grande générosité et ses précieux talents à la préparation du magnifique buffet de la réception annuelle de Noël *chez Bona et Lisette*. C'est, chaque année, l'événement social le plus convoité dans notre famille. Cette heureuse tradition est si solidement implantée que personne ne voudrait s'y soustraire. Elle est devenue grâce à Lisette quelque chose de sacré.

Issue de l'une des plus anciennes familles de la ville de Québec qui a fourni un nombre impressionnant de notables à la société, Lisette, après de solides études, s'est adonnée avec beaucoup de succès à la peinture à l'huile, aux encres de couleurs, aux émaux sur cuivre et à la littérature.

Ses sports favoris ont toujours été le ski de fond, lorsque la neige s'y prête, le tennis et surtout la natation.

Artiste jusque dans l'âme, Lisette est une épouse compréhensive, intelligente et cultivée, qui adore la lecture et les voyages. Ce fut la compagne idéale dans mes missions officielles accomplies en ces dernières années.

Lisette et moi, coupant notre gâteau de noce.

Ayant sensiblement les mêmes goûts tous les deux, nous nous entendons bien. Ensemble, nous sommes parfaitement heureux. C'est sans doute là un des secrets de mon éternelle jeunesse.

À Saint-Louis, Missouri

Au cours des dernières années que j'ai passées à l'Assemblée nationale, en plusieurs circonstances j'avais été délégué comme représentant officiel de la Province à l'étranger. Ainsi, en 1970, tel que je l'ai déjà mentionné, je faisais partie de la délégation du Québec à l'Expo d'Ôsaka au Japon.

En 1973, le premier ministre Robert Bourassa m'avait désigné pour le représenter, en compagnie de Lisette, à la célébration du troisième centenaire de l'exploration du fleuve Mississippi par Louis Jolliet et le père Jacques Marquette, qui avait eu lieu à Saint-Louis au Missouri, du 3 au 6 juillet. L'on sait que cette ville historique fut la patrie de Charles Lindberg, le célèbre aviateur qui a accompli la première traversée de l'océan Atlantique en avion en 1927. Il avait donné à son appareil le nom de sa ville natale: le *Spirit of Saint-Louis*.

Pour la circonstance, le premier ministre Bourassa avait placé à notre disposition, l'avion à réaction le plus rapide du gouvernement, le DH-125, que nous avions retenu pendant près d'une semaine pour accomplir ce merveilleux voyage. L'équipage était composé des deux pilotes et du garçon de service. Tout se passait comme dans les contes de fées.

Nous étions logés, Lisette et moi, au célèbre hôtel Stuffer's de Saint-Louis. Nous avions assisté à de nombreuses réceptions, dont celle organisée conjointement par les deux sociétés francophones de la ville, l'Alliance française et la Société française, le soir du 4 juillet, à l'ancien palais de Justice. En plus d'un inoubliable concert donné le soir sous les étoiles par le grand Orchestre symphonique de Saint-Louis qui nous avait vraiment émerveillés.

La présidente de l'organisation de ces fêtes si minutieusement bien réussies, Madame Edwynne P. Murphy, ainsi que l'hôtesse préposée aux invités d'honneur, Madame Pierce W. Powers, nous avaient comblés de délicates attentions, Lisette et moi. Cet extraordinaire voyage est le plus beau souvenir que nous avons conservé de l'année 1973, à part celui de notre mariage.

À notre descente d'avion à Port-au-Prince, à Haïti, le 23 janvier 1974. Je dirigeais alors la délégation parlementaire canadienne auprès de l'Association internationale des parlementaires de langue française, à Haïti et à la Guadeloupe.

À Haïti et à la Guadeloupe

Au début de janvier 1974, le président de l'Assemblée nationale du Québec, Jean-Noël Lavoie, m'avait transmis l'invitation du président de la Chambre des communes, Lucien Lamoureux, de présider la délégation des parlementaires canadiens se rendant en mission à Haïti et à la Guadeloupe avec les autres délégations de l'Association internationale des parlementaires de langue française.

Cette association internationale, ayant pour but de favoriser le rayonnement de la langue française et de la culture française dans le monde, groupe les parlementaires de douze pays de la francophonie. Son siège social est à Paris.

Bien que nous soyons déjà allés à la Guadeloupe et à la Martinique, Lisette et moi, lors de notre voyage de noces, l'année précédente, c'était la première fois que nous visitions Haïti. Nous étions logés à l'hôtel *Villa Créole*, l'un des luxueux établissements de Pétionville, situé non loin de Port-au-Prince, avec une automobile et un chauffeur à notre disposition pour la durée de notre séjour.

Malgré la pauvreté de sa population noire et son peu de développement, Haïti est la perle des Antilles, après avoir été la plus belle des colonies de la France dans les Caraïbes. C'est le 1er janvier 1804 que Jean-Jacques Dessalines proclama l'indépendance de la première République noire du monde. Ils sont cinq millions d'Haïtiens qui sont fiers de leur pays, fiers d'être Noirs. Le plus grand des chefs des insurgés de cette ancienne colonie française, Pierre-Dominique Toussaint, mieux connu sous le nom de Toussaint-Louverture, avait été celui qui, doué d'un génie militaire, avait su débarrasser Haïti de l'esclavage que lui avait imposé la France à l'époque.

Pays de langue française vraiment attachant, en particulier pour les Canadiens français. Pays que, Lisette et moi, nous découvrions dans notre émerveillement et dont nous avons conservé un extraordinaire souvenir.

Roberto Wilson, le directeur des Relations publiques et parlementaires au bureau du président de l'Assemblée nationale à l'époque, ainsi que son épouse, née Lorraine Poirier, nous avaient accompagnés au cours de ce voyage. Roberto, lui-même originaire d'Haïti, agissait en qualité de secrétaire de la délégation du Québec. On ne pouvait imaginer de guide plus compétent pour nous faire visiter ce merveilleux pays.

À part d'avoir rencontré le président à vie d'Haïti, Jean-Claude Duvalier, nous nous étions liés d'amitié, Lisette et moi, avec Michel Auguste, le président de la Chambre législative du pays, ainsi qu'avec son épouse qui nous avaient reçus à deux reprises, le 24 janvier, à un dîner-buffet à *Cabane Choucoune*, et le 29 janvier, à un déjeuner au grand restaurant *La Lanterne* de Pétionville. À la plage *Ibo Beach*, où nous nous étions rendus un jour, nous avions rencontré le célèbre Jacques Normand qui y passait des vacances. L'ambassadeur de France à Haïti nous avait également reçu à un élégant dîner qui se termina tard dans la soirée.

C'était une mission d'amitié, mais aussi de travail. Les délégués ont pu étudier sur place avec leurs collègues haïtiens des problèmes spécifiques touchant la mise en œuvre de divers projets par l'Agence de Coopération culturelle et technique des Nations Unies, puisque Haïti venait d'être classé parmi les vingt-cinq pays pour lesquels une aide prioritaire devait être consentie.

Magnifiquement logée, reçue avec faste tant par les autorités locales que par les diplomates en poste à Haïti, la délégation des parlementaires avait grandement apprécié l'accueil chaleureux qui lui a été réservé et les attentions innombrables qui lui ont été prodiguées.

Le 30 janvier 1974, nous nous étions dirigés, Lisette et moi, avec les autres membres des délégations parle-

Au palais présidentiel de Port-au-Prince, le 26 janvier 1974, pendant la présentation à Jean-Claude Duvalier, président à vie de Haïti. Le président de la Chambre législative, l'Honorable Michel Auguste était présent.

mentaires vers la Guadeloupe, où Lucien Lamoureux, président de la Chambre des communes du Canada, se chargea de la présidence du groupe des parlementaires canadiens, à son arrivée d'Ottawa.

Dès notre arrivée à l'aéroport du Raizet à la Guadeloupe, la délégation a été saluée par M. Thoraval, sous-préfet de Pointe-à-Pitre, et par M. Raymond Guilliod, député de la Guadeloupe à l'Assemblée nationale française, qui avaient pris toutes les dispositions utiles pour nous assurer un séjour des plus agréables.

Le programme, riche en visites exploratoires et réceptions, avait permis aux délégués de nouer de fructueux contacts avec de nombreuses personnalités locales, en particulier avec M. Jacques le Cornec, alors préfet du département et les membres du Conseil général de la Guadeloupe.

Parmi les événements vécus durant cette tournée de la Guadeloupe, il y avait eu la visite du domaine de la forêt tropicale et des bois précieux, aménagés sous le signe de la protection du milieu naturel; l'exploration d'un forage géothermique à Bouillante, utilisant la vapeur dégagée par des nappes d'eau souterraine à 240°C; les ballets folkloriques de Pointe-à-Pitre exécutant des danses sur les airs des Antilles; l'excursion au volcan de la Soufrière jusqu'au brûlant cratère par la forêt du Matouba; la visite du Centre agronomique des Antilles, à Petit-Bourg, des installations touristiques de Gosier et de la Pointe-des-Châteaux de même que du fort Fleur-d'Épée, belvédère sur la baie de Pointe-à-Pitre.

Logés à l'hôtel *Arawak*, qui nous avait aussi hébergés, Lisette et moi, l'année précédente lors de notre voyage de noces à la Martinique et à la Guadeloupe, nous y sommes restés plusieurs jours après le départ de chacun des délégués de l'Association internationale des parlementaires de langue française pour leur pays d'origine.

Aux Nations Unies, à New York

Deux ans plus tard, soit du 26 avril au 2 mai 1976, l'Association internationale des parlementaires de langue française tenait une session spéciale au siège de l'Organisation des Nations Unies à New York.

Jean-Noël Lavoie, président de la section du Québec de cette association internationale, en sa qualité de président de l'Assemblée nationale, devait normalement diriger la délégation du Québec. Mais, comme d'impérieux engagements l'empêchaient de se rendre à New York, en cette circonstance, il m'invita à le remplacer, par sa lettre du 24 mars 1976.

Au siège des Nations Unies, à New York, le 28 avril 1976. Je prenais la parole en qualité de chef de la délégation du Québec, devant les membres de l'Association internationale des parlementaires de langue française, aux côtés de Son Excellence Charles Hélou, d'origine libanaise, président de cette association internationale.

À New York, nous avions été installés, Lisette et moi, dans l'historique hôtel de réputation mondiale, le *Waldorf Astoria*, situé sur Park Avenue où tant de personnages illustres ont séjourné, depuis plus de cinquante ans.

À mon arrivée au siège des Nations Unis, en qualité de chef de la délégation du Québec, j'ai accompagné le président de l'Association internationale des parlementaires de langue française, Son Excellence Charles Hélou, avec les autres chefs de délégation chez le secrétaire général des Nations Unies, Kurt Waldheim. Le même soir, le 26 avril 1976, le secrétaire général des Nations Unies et Madame Waldheim donnaient une réception à leur résidence privée à laquelle Lisette et moi avions assisté.

Pendant notre séjour à New York, nous avons aussi été invités à des réceptions par l'ambassadeur de France auprès des Nations Unies et Madame de Guiringaud ; par le représentant permanent de la Côte-d'Ivoire auprès des Nations Unies et Madame Siméon Aké ; par le président de l'Association internationale des parlementaires de langue française, Charles Hélou, ainsi qu'à un déjeuner-buffet à la résidence de l'ambassadeur et représentant permanent du Canada auprès des Nations Unies Son Excellence et Madame Saul F. Rae.

Le 2 juin 1976, je recevais de l'ambassadeur Rae une lettre dont je détache les trois paragraphes suivants :

> « Veuillez croire qu'il nous a été très agréable de vous accueillir ce lundi 26 avril dernier et cela à plus d'un titre. D'abord, parce que l'occasion était unique, l'Association des parlementaires de langue française en étant à sa première visite à New York, et ensuite parce qu'il ne nous est pas donné souvent de recevoir une aussi large représentation de la députation québécoise.
>
> Si je m'en tiens aux échos qui me parviennent, la session spéciale de l'AIPLF au siège des Nations Unies a été un franc succès. Je m'en réjouis car cela prouve la vitalité de votre association. C'est pour ma part avec un vif plaisir que j'ai pris connaissance des résolutions qui ont été adoptées à l'issue de vos travaux. Vous voudrez bien d'ailleurs trouver sous ce pli un exemplaire de leur version officielle.
>
> Veuillez agréer, cher Monsieur, l'expression de mon cordial souvenir et transmettre à Madame Arsenault les assurances de ma considération distinguée. »

L'Ambassadeur et
Représentant permanent,

Saul F. Rae

Nous avions décidé, Lisette et moi, de profiter de ce passage à New York pour visiter le plus grand nombre de musées et de galeries d'art possible renfermant des trésors du monde entier, tels que le Metropolitan Museum of Art, le Museum of Primitive Art, le Museum of American Indians et l'American Museum of National History.

Comme il est tout à fait impossible de voir tout ce qu'il y a d'intéressant à New York en une semaine, nous avions fait un choix précis cadrant bien avec nos goûts personnels.

Le 13 octobre 1979, j'étais l'un des invités d'honneur de l'université Nicholls State de Thibodaux, en Louisiane, au congrès de généalogie tenu par cette institution. Me voici en compagnie de Vernon Galliano, président de l'université, et de Charles R. Madwell, généalogiste de la Nouvelle-Orléans, éditeur de *New Orleans Genesis*.

En Louisiane et au Texas

Lisette m'avait également accompagné au cours des deux voyages que j'avais effectués en Louisiane, en novembre 1978, et en Louisiane et au Texas, en octobre 1979.

En 1978, je m'étais rendu à la Nouvelle-Orléans et à Lafayette, en Louisiane, à l'occasion du lancement de mon oeuvre, *Histoire et Généalogie des Acadiens*, en six tomes, publiée chez Leméac, en plus d'une version anglaise de la partie historique imprimée aux Éditions Marquis de Montmagny. Nous avions fait la tournée de la Louisiane en compagnie de nos amis, Bertrand de Cardaillac, des Éditions Marquis, et de sa gentille épouse, née Louise Marquis.

À Lafayette, nous avions été l'objet, Lisette et moi, d'une magnifique réception et les hôtes d'honneur à un banquet présidé par James Domengeaux, le président du Conseil pour le développement du français en Louisiane.

En octobre 1979, j'avais été l'invité d'honneur de l'université Nicholls State à Thibodaux, en Louisiane, lors du congrès de généalogie tenu sous les auspices de cette institution. Je m'étais également rendu à Beaumont, au Texas, en qualité d'invité de l'université Lamar, où j'avais été appelé à donner une conférence sur l'histoire acadienne en plus d'être convié en compagnie de mon épouse à assister à une réception organisée par l'université, à l'occasion de notre passage au Texas.

Dans cette région frontalière du Texas et de la Louisiane, se trouvent de nombreux descendants d'Acadiens, de Français et de Canadiens français qui ont conservé leur langue et le souvenir de leurs ancêtres. Aussi, est-ce avec beaucoup d'enthousiasme que nous avions été accueillis, Lisette et moi, par la foule qui s'était massée dans l'amphithéâtre de l'université Lamar à Beaumont, en ce dimanche après-midi 14 octobre 1979.

À notre passage à Lafayette en Louisiane, l'Association France-Amérique, dont Madame Georgie Mouton était la présidente, nous avait ménagé une réception à la Maison Acadienne-Française, où plusieurs de nos bons amis de la région s'étaient portés à notre rencontre sur l'invitation du Dr Thomas J. Arceneaux et de son épouse Carita, la châtelaine de la Maison Acadienne-Française.

Le Révérend Père Donald J. Hébert, originaire de Lafayette, maintenant curé de la paroisse d'Eunice, avait été pour nous un guide précieux en nous accompagnant

Le 27 mai 1956, alors député fédéral de Bonaventure, je recevais un doctorat ès lettres *honoris causa* de l'Université du Sacré-Cœur de Bathurst, au Nouveau-Brunswick. Le père Henri Cormier, recteur de l'université, me remet ici le parchemin. À l'arrière-plan, on remarque Mgr Camille LeBlanc, alors évêque du diocèse de Bathurst.

Le docteur Léon Richard, chancelier de l'Université de Moncton, me remettant le diplôme de docteur ès lettres *honoris causa* à l'amphithéâtre de l'université, le 20 octobre 1979.

dans la plupart des endroits que nous devions visiter en Louisiane et au Texas.

Doctorats honorifiques et décorations

Le 27 mai 1956, alors que j'étais député fédéral et à la suite de la parution de mon premier livre sur l'histoire acadienne, *L'Acadie des Ancêtres*, j'avais reçu un premier doctorat honorifique de l'Université de Bathurst, au Nouveau-Brunswick, incorporée par la suite à l'Université de Moncton, lors de la fondation de cette nouvelle institution en 1963.

C'est le père Henri Cormier, alors recteur de l'Université de Bathurst, qui m'avait remis la toge et le parchemin, en présence de Monseigneur Camille LeBlanc, évêque du diocèse de Bathurst et autres personnalités.

Puis, au cours de mes nombreux voyages en Louisiane, j'avais reçu plusieurs décorations comme témoignages d'amitié. Ainsi le 31 août 1961, j'avais été nommé aide de camp honoraire du gouverneur Jimmie H. Davis de la Louisiane; le lendemain j'avais reçu un diplôme d'honneur de l'université Southwestern de Lafayette; le 23 avril 1965, j'étais fait citoyen honoraire de la ville de la Nouvelle-Orléans et, le 25 avril, citoyen honoraire de la ville de Lafayette. Entre-temps, comme on l'a vu ailleurs dans ce volume, j'étais aussi devenu le roi des Acadiens et le Grand Chef honoraire de la tribu indienne des Iroquois de Caughnawaga, près de Montréal.

Puis, en date du 31 août 1979, je recevais du recteur de l'Université de Moncton au Nouveau-Brunswick la lettre suivante:

Cher Monsieur Arsenault,

Le Sénat académique de l'Université de Moncton a tenu sa réunion régulière le 25 août et me prie de vous inviter à accepter un doctorat honorifique de notre université.

La cérémonie d'investiture aura lieu le 20 octobre à 16 heures et coïncidera avec le Retour annuel des Anciens qui regroupe un nombre imposant de nos gradués.

Les raisons qui motivent le Sénat académique sont nombreuses et impressionnantes. Non seulement l'Université veut vous honorer, mais en acceptant notre invitation, vous nous honorerez. Vous honorerez l'institut de haut savoir des Acadiens du Nouveau-Brunswick dont la tâche est de permettre à ce groupe ethnique de développer toutes ses potentialités.

Le recteur de l'Université de Moncton, M. Jean Cadieux, m'imposant l'épitoge après la remise de mon doctorat honorifique. Il m'accompagnera ensuite pour la signature du Livre d'or.

Si vous nous faites l'honneur de répondre affirmativement à notre invitation, j'apprécierais recevoir une photo récente de vous-même ainsi qu'une copie de votre curriculum vitæ.

Bien à vous,

Jean Cadieux

Recteur

La cérémonie de la remise des doctorats par l'Université de Moncton en ce 20 octobre 1979 revêtait d'autant plus de solennité car le gouverneur général du Canada, le Très Honorable Edward Richard Schreyer, recevait lui-même de l'université en cette même occasion un doctorat honorifique en sciences sociales.

Madame Marguerite Mathieu, secrétaire général de l'Association internationale des écoles de service social, avait également reçu un doctorat en sciences sociales, alors que Monsieur David M. Stewart, de Montréal, président de la Fondation Macdonald Stewart, était fait docteur en administration.

En cette même circonstance, l'Université de Moncton avait aussi proclamé trois professeurs émérites: la R.Sr Irène Léger, r.j.m., et les RR.PP. Jean-Baptiste Cormier c.s.c., et Rémi Rossignol c.s.c.

L'année suivante, soit au début de juin 1980, la Fédération des Chambres de commerce de la Gaspésie, lors de sa réunion annuelle tenue à Percé dans le comté de Gaspé, m'avait décerné la médaille du Mérite gaspésien. En mon absence, cette décoration très appréciée avait été confiée à mon ami Yvon Chouinard, président du poste de télévision CHAU-TV, de Carleton, qui était présent à l'assemblée. Il me l'avait fait parvenir avec les bons vœux des directeurs de la Fédération des Chambres de commerce régionales.

Nomination à l'Ordre du Canada

Comme on le voit bien, s'il est vrai qu'un malheur n'arrive jamais seul, il en est de même d'une décoration.

Le 17 octobre 1980 m'était parvenue une lettre par livraison spéciale, provenant de la résidence officielle du gouverneur général du Canada à Ottawa. C'était comme un coup de tonnerre survenant par un après-midi ensoleillé d'été. Elle portait la signature de Roger de C. Nantel, directeur de la chancellerie des Ordres et Décorations du Canada et se lisait comme suit :

Dans le grand salon de la résidence du gouverneur général du Canada, à Ottawa, le 21 octobre 1981, pendant la lecture de ma citation à l'*Ordre du Canada* par Esmond Butler, secrétaire général de l'Ordre. On voit à gauche, le juge en chef du Canada, le T.H. Bora Laskin, président du Comité consultatif de l'Ordre.

Le 21 octobre 1981, Son Excellence le gouverneur général du Canada, Edward Schreyer épingle sur le revers de mon habit la décoration de l'*Ordre du Canada*.

Cher Monsieur Arsenault,

Il me fait plaisir de vous laisser savoir que le Gouverneur général a reçu du Conseil consultatif de l'Ordre du Canada la recommandation de votre nomination à titre de Membre. L'Ordre fut créé en 1967 dans le but d'assurer la reconnaissance d'actes et de services éminents rendus au Canada ou à l'humanité en général ainsi que pour rendre hommage à ceux et celles qui se sont distingués de façon particulière dans leur propre sphère d'activité. Le Conseil consultatif étudie les candidatures proposées et recommande les nominations au Gouverneur général, Chancelier et Compagnon principal de l'Ordre. Sa Majesté la Reine est Souveraine de l'Ordre.

Je vous serais reconnaissant de me laisser savoir, dès que vous le pourrez, si vous êtes disposé à accepter cet honneur. Si vous répondez par l'affirmative, je vous prierais de bien vouloir me faire parvenir une courte biographie, ainsi qu'une photographie récente. De plus, il nous sera très utile de savoir la façon exacte dont vous aimeriez que votre nom apparaisse dans nos archives.

Nous aimerions être en mesure de fournir ces renseignements aux média d'information dès que les nominations à l'Ordre seront décrétées. J'espère qu'il vous sera possible de me transmettre ces documents d'ici la fin du mois de novembre.

La liste des nouvelles nominations sera publiée vers la fin de décembre. Nous souhaiterions, vous le comprenez sans doute, que soit respecté le caractère strictement confidentiel de la présente lettre, jusqu'à l'annonce officielle de notre nomination à l'Ordre.

Roger de C. Nantel

Par sa lettre datée du 15 décembre 1980, le secrétaire général de l'Ordre du Canada et chef du cabinet du

Lors de la réception officielle qui a suivi l'investiture, Lisette et moi, étions présentés au gouverneur général et madame Schreyer.

gouverneur général, Esmond Butler, m'informait officiellement de ma nomination à l'Ordre du Canada, dans les termes suivants:

> Cher Monsieur Arsenault,
>
> Le Gouverneur général me prie de vous laisser savoir que vous avez été nommé Membre de l'Ordre du Canada. Votre nomination sera publiée dans la Gazette du Canada, édition du 20 décembre 1980. Vous pouvez dorénavant inscrire à la suite de votre nom les initiales CM.
>
> Nous prévoyons tenir une cérémonie plus tard, au cours de laquelle vous serez invité à vous rendre à Ottawa pour recevoir votre décoration. Je vous ferai part, par correspondance ultérieure, de renseignements plus précis à l'égard de cette cérémonie.

Au nom du Gouverneur Général et à titre personnel, je vous adresse mes félicitations les plus chaleureuses pour la distinction qui vous échoit.

Veuillez agréer l'expression de mes sentiments les meilleurs.

Esmond Butler

Secrétaire général de l'Ordre du Canada

La citation officielle qu'il a lue, au moment de mon investiture à l'Ordre du Canada, le 21 octobre 1981, était rédigée comme suit :

> Ancien député fédéral et ministre de la province de Québec, historien et généalogiste.
>
> En reconnaissance de sa contribution dans le domaine de l'histoire et de la généalogie des Acadiens. Son oeuvre, *Histoire et Généalogie des Acadiens*, représente une des publications les plus exhaustives sur le sujet.

Officier de l'Ordre de la Pléiade

Après avoir reçu ces précieux témoignages de la part du peuple acadien dont l'Université de Moncton s'était faite le porte-parole ; de mes compatriotes gaspésiens, par voie de la Fédération des Chambres de commerce de la Gaspésie ; et de mon pays, le Canada, par l'entremise du gouverneur général, la francophonie internationale avait aussi bien voulu m'honorer, sur la recommandation du président de l'Assemblée nationale du Québec.

En recevant l'Ordre de la Pléiade qui m'a été remis à Québec le 6 mai 1982 par le secrétaire général de l'Association internationale des parlementaires de langue française, Monsieur André Delehedde, venu de Paris, c'est aussi la France qui m'honorait.

Dans un salon du Parlement, monsieur André Delehedde, membre de l'Assemblée nationale française, venu de Paris, me remettait la décoration d'officier de l'*Ordre international de la Pléiade*, le 6 mai 1982, en présence du président de l'Assemblée nationale du Québec, Claude Vaillancourt; de mon épouse Lisette ainsi que des membres de ma famille et de nombreux amis.

Voici le texte du communiqué émis à cette occasion, par le Bureau des relations parlementaires de l'Assemblée nationale du Québec:

« Jeudi le 6 mai [1982], dans les locaux de l'Hôtel du Parlement, M. Bona Arsenault était promu Officier de l'Ordre de la Pléiade, au cours d'une brève cérémonie présidée par M. Claude Vaillancourt, Président de l'Assemblée nationale et par M. André Delehedde, Secrétaire général parlementaire de l'Association internationale des parlementaires de langue française et député à l'Assemblée nationale française.

Homme politique, journaliste, historien et généalogiste, M. Arsenault est également connu pour son engagement actif au sein de la francophonie nord-américaine. C'est à ce titre qu'il recevait la médaille d'Officier de l'Ordre de la Pléiade. M. Arsenault a été un des principaux artisans du rapprochement entre les Québécois, les Acadiens et les Louisianais et a joué un rôle clef dans l'ouverture d'une Délégation du Québec en Louisiane dont il était un ardent promoteur. C'est également par son œuvre d'historien et de généalogiste que nombre de Québécois ont redécouvert leurs sources acadiennes.

La Pléiade, ordre de la francophonie et du dialogue des cultures, a été créé en 1976 et est l'Ordre privé de l'Association Internationale des parlementaires de langue française. La Pléiade, ordre à vocation internationale, est destinée à reconnaître les mérites éminents de personnalités qui se sont distinguées en servant les idéaux de l'A.I.P.L.F. Reconnaissant en M. Arsenault un promoteur de la francophonie et du dialogue des cultures françaises d'Amérique, il était tout naturel que la Section québécoise de l'A.I.P.L.F. propose sa candidature à la Chancellerie de l'Ordre, ce qui fut agréé en janvier 1982, lors de la douzième Assemblée générale de l'Association internationale des parlementaires de langue française, à Dakar, au Sénégal.

L'Ordre de la Pléiade compte à ses rangs d'autres Québécois tels Gilles Vigneault, Jean-Marie Laurence, Félix Leclerc, Georges-Émile Lapalme et Anne Hébert pour n'en nommer que quelques-uns. »

Mon expérience personnelle m'a enseigné que, dans la vie, le travail est le plus sûr gage de succès, après la santé. Pour récolter il faut d'abord semer. C'est la qualité et la quantité de la semence qui déterminera la nature et le degré d'abondance de la récolte.

Après avoir tant travaillé, au terme de mes années, je suis un homme heureux. Je serais prêt à tout recommencer si seulement c'était possible.

APPENDICE

Nous publions ci-après, avec l'autorisation des Archives publiques du Canada[1], un plan de Bonaventure portant la date du 17 septembre 1765 effectué sur les instructions du gouverneur James Murray par John Collins, alors député-arpenteur général de la Province.

Ce plan, dont l'original en couleurs se trouve au Public Record Office à Londres, en Angleterre, est une copie manuscrite faite par Brigly en 1909 faisant partie de la Collection nationale de cartes et plans des Archives publiques du Canada, à Ottawa.

La seigneurie de Bonaventure ayant été établie le 23 avril 1697 par Frontenac, alors gouverneur du Canada à l'époque, qui l'avait accordée au sieur de la Croix, on peut apercevoir sur cette carte les installations de pêche des négociants français, ayant exploité l'établissement de

---

1. Collection nationale de cartes et plans, référence NMC 17992. Lettre de M. Bruce Weedmark, en date du 13 mai 1983, référence 8950-1.

pêche de Bonaventure jusqu'à la prise du Canada par les Anglais, à la suite de la capitulation de Montréal, en 1760.

On peut également découvrir sur ce plan l'endroit précis où se trouvait la première église, indiquée comme étant alors une chapelle, détruite par un incendie en 1791 avec tout son contenu. On y voit aussi une route passant près de la chapelle, construite en direction de Petit-Bonaventure (devenu Saint-Siméon), une autre route, partant des établissements des pêcheurs (carrés noirs) se dirige vers la forêt, où les premiers habitants y avaient leur habitation d'hiver[2].

Voici la traduction des passages essentiels de la description du havre de Bonaventure apparaissant sur ce plan:

Remarques

> Bonaventure est situé sur la rive nord de la baie des Chaleurs. C'est un endroit approprié pour l'établissement d'un centre de pêche, par les Anglais, comme en font foi les activités des commerçants français qui y ont séjourné sous le régime français. Ces négociants français expédiaient de ce port de huit à dix chargements de poisson, par vaisseaux, chaque année. Le poisson était pêché de ce port et autres endroits situés à proximité.
>
> Le port de Bonaventure (parfaitement à l'abri de tous les vents) offre de grandes possibilités commerciales en raison de la conformation particulière de l'embouchure de la rivière Bonaventure. Comme le démontre ce plan, on peut y faire sécher le poisson au soleil et au grand air, sur les vastes espaces réser-

2. Voir la lettre adressée par le notaire Louis Bourdages à lord Dorchester, en date du 17 décembre 1787, dans le volume 1, pages 260 à 263, de l'*Histoire et Généalogie des Acadiens*, par le même auteur, publié chez Leméac, à Montréal, en 1978.

vés à cette fin sur les rives de l'embouchure de la rivière Bonaventure, se déversant dans la baie des Chaleurs.

Les séchoirs à poisson qui s'y trouvent sont divisés en 95 lots, séparés par un passage de 10 pieds de large pour faciliter l'empilement du poisson séché à l'extrémité de chaque séchoir. Sur la route qui longe le littoral du havre se trouvent de bons ancrages pour y amarrer les voiliers qui font leurs chargements à l'intérieur du havre. Des vaisseaux de 200 tonneaux peuvent facilement y jeter l'ancre, en toute sécurité. Les marées ordinaires sont de 7 à 8 pieds.

Les habitations du hameau de pêche de Bonaventure, sont situées au sud du havre sur un terrain comprenant 207 acres et 1 108 pieds carrés, divisés en 36 lots de 240 pieds carrés.

En général, la terre à culture est assez bonne. Elle peut produire divers légumes, du chanvre et du lin. Il se trouve ici des marais où pousse l'herbe en abondance. Ils sont suffisamment étendus pour nourrir plusieurs bestiaux. La saison estivale est de courte durée. Les gelées apparaissent dès le début de septembre et se poursuivent jusqu'à la fin de mai.

La population de Bonaventure est présentement composée d'Acadiens. Il s'y trouve 80 hommes, en plus des femmes et des enfants. »

Au premier recensement tenu à Bonaventure sous le régime anglais en 1765, il se trouvait aussi des ressortissants français, tels que Joannis Chapados, Jean Cronier, Louis Denis, Jean-Marie Duguay, François Duguay, François Huard, Pierre Langlois, François Laroque, Charles Laroque, Georges Laroque et Léon Roussy, ayant sans doute fait partie de l'équipe des pêcheurs qui étaient à l'emploi des commerçants français, avant la prise du Canada par les Anglais.

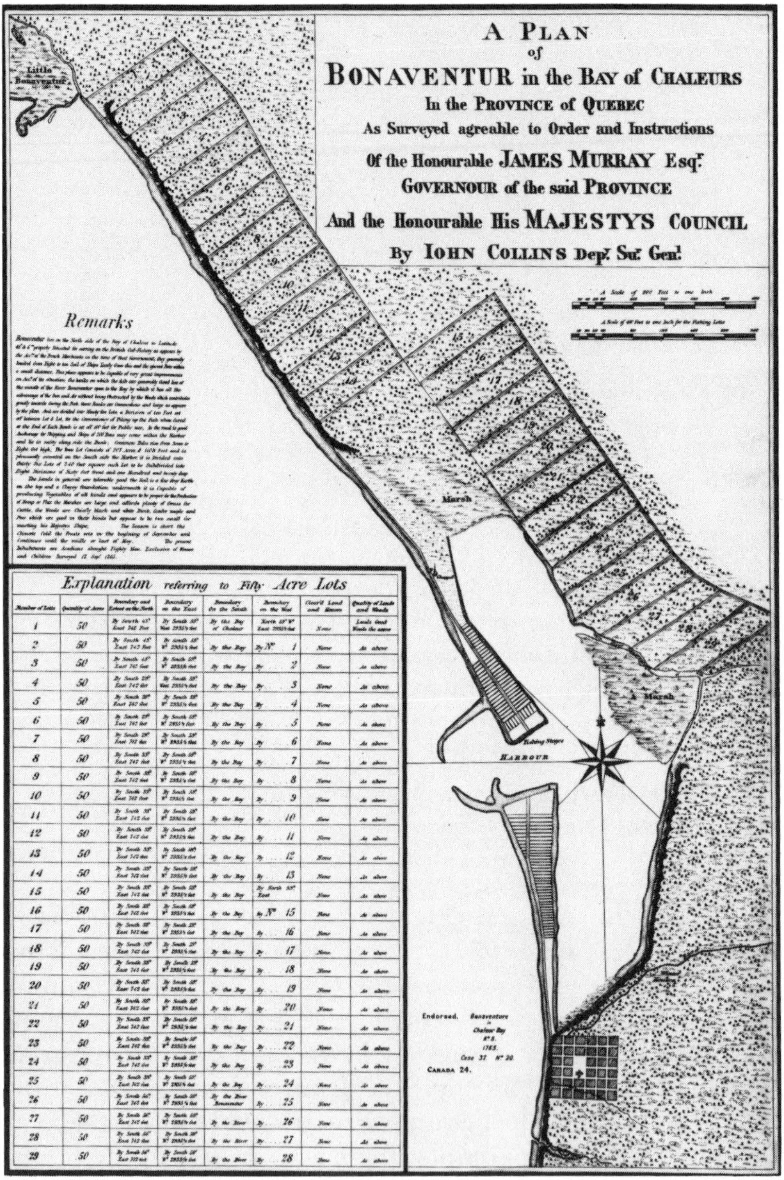

A Plan of BONAVENTUR in the BAY of CHALEURS In the PROVINCE of QUEBEC

As Surveyed agreable to Order and Instructions

Of the Honourable JAMES MURRAY Esq.r

GOVERNOUR of the said PROVINCE

And the Honourable His MAJESTYS COUNCIL

By IOHN COLLINS Dep.t Su.r Gen.l

Little Bonaventur

Marsh

A Marsh

HARBOUR

Remarks

[illegible]

Explanation referring to Fifty Acre Lots

Number of Lots	Quantity of Acres	Boundary and Extent on the North	Boundary on the East	Boundary On the South	Boundary on the West	Clear'd Land and Houses	Quality of Lands and Woods
1	50	By South [illegible] East 742 Feet	By South [illegible] West [illegible]	By the Bay of Chaleur	North [illegible] East [illegible]	None	Lands Good Woods the same
2	50	By South [illegible] East 742 Feet	By South [illegible] [illegible]	By the Bay	By N.o 1	None	As above
3	50	By South [illegible] East 742 feet	By South [illegible] [illegible]	By the Bay	By ... 2	None	As above
4	50	By South [illegible] East 742 feet	By South [illegible] West [illegible]	By the Bay	By ... 3	None	As above
5	50	By South [illegible] East 742 feet	By South [illegible] [illegible]	By the Bay	By ... 4	None	As above
6	50	By South [illegible] East 742 feet	By South [illegible] [illegible]	By the Bay	By ... 5	None	As above
7	50	By South [illegible] East 742 feet	By South [illegible] [illegible]	By the Bay	By ... 6	None	As above
8	50	By South [illegible] East 742 feet	By South [illegible] [illegible]	By the Bay	By ... 7	None	As above
9	50	By South [illegible] East 742 feet	By South [illegible] [illegible]	By the Bay	By ... 8	None	As above
10	50	By South [illegible] East 742 feet	By South [illegible] [illegible]	By the Bay	By ... 9	None	As above
11	50	By South [illegible] East 742 feet	By South [illegible] [illegible]	By the Bay	By ... 10	None	As above
12	50	By South [illegible] East 742 feet	By South [illegible] [illegible]	By the Bay	By ... 11	None	As above
13	50	By South [illegible] East 742 feet	By South [illegible] [illegible]	By the Bay	By ... 12	None	As above
14	50	By South [illegible] East 742 feet	By South [illegible] [illegible]	By the Bay	By ... 13	None	As above
15	50	By South [illegible] East 742 feet	By South [illegible] [illegible]	By the Bay	By North [illegible] East	None	As above
16	50	By South [illegible] East 742 feet	By South [illegible] [illegible]	By the Bay	By N.o 15	None	As above
17	50	By South [illegible] East 742 feet	By South [illegible] [illegible]	By the Bay	By ... 16	None	As above
18	50	By South [illegible] East 742 feet	By South [illegible] [illegible]	By the Bay	By ... 17	None	As above
19	50	By South [illegible] East 742 feet	By South [illegible] [illegible]	By the Bay	By ... 18	None	As above
20	50	By South [illegible] East 742 feet	By South [illegible] [illegible]	By the Bay	By ... 19	None	As above
21	50	By South [illegible] East 742 feet	By South [illegible] [illegible]	By the Bay	By ... 20	None	As above
22	50	By South [illegible] East 742 feet	By South [illegible] [illegible]	By the Bay	By ... 21	None	As above
23	50	By South [illegible] East 742 feet	By South [illegible] [illegible]	By the Bay	By ... 22	None	As above
24	50	By South [illegible] East 742 feet	By South [illegible] [illegible]	By the Bay	By ... 23	None	As above
25	50	By South [illegible] East 742 feet	By South [illegible] [illegible]	By the Bay	By ... 24	None	As above
26	50	By South [illegible] East 742 feet	By South [illegible] [illegible]	By the River Bonaventur	By ... 25	None	As above
27	50	By South [illegible] East 742 feet	By South [illegible] [illegible]	By the River	By ... 26	None	As above
28	50	By South [illegible] East 742 feet	By South [illegible] [illegible]	By the River	By ... 27	None	As above
29	50	By South [illegible] East 742 feet	By South [illegible] [illegible]	By the River	By ... 28	None	As above

Endorsed. Bonaventure in Chaleur Bay N.o 8. 1765. Case 37 N.o 30

CANADA 24.

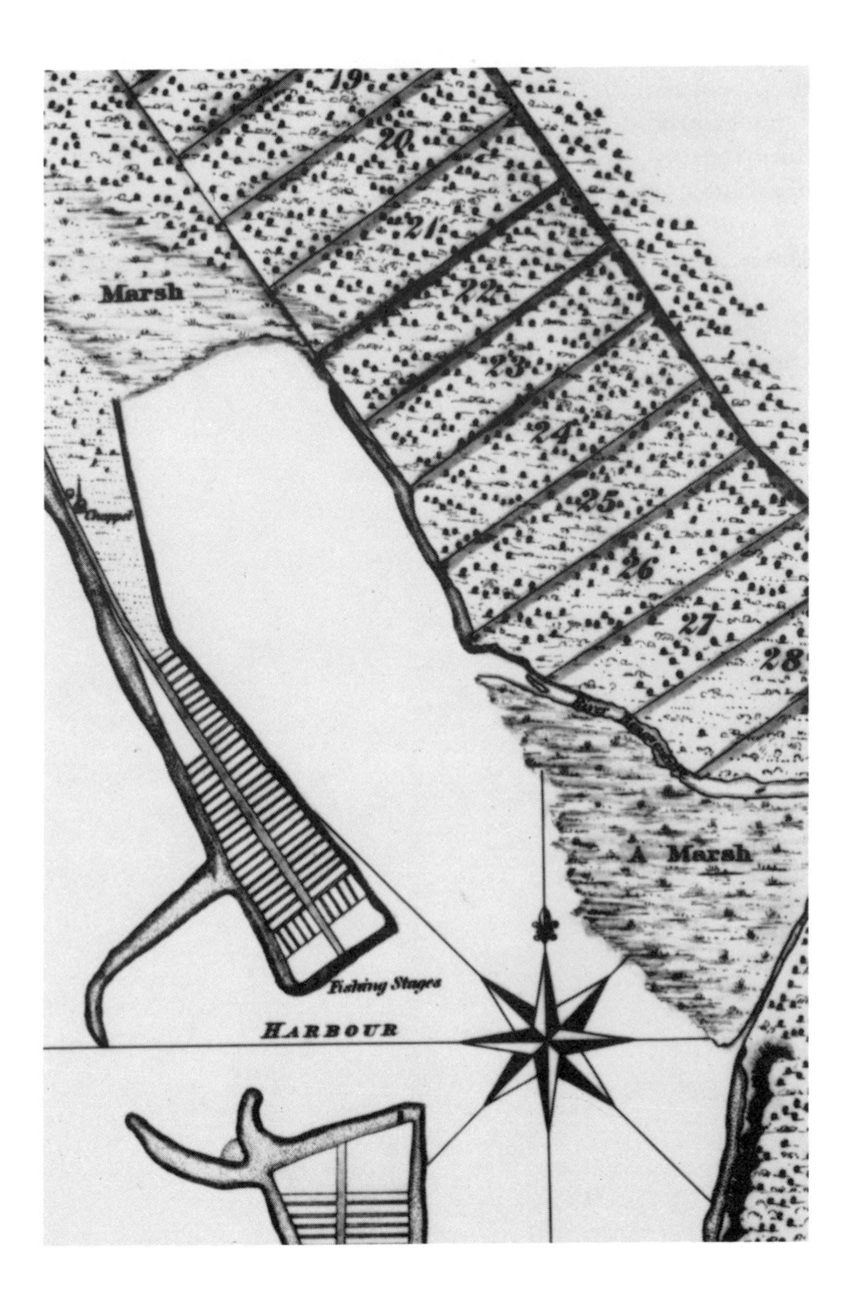
19
20
21
22
23
24
25
26
27
28
Marsh
A Marsh
Fishing Stages
HARBOUR

D'autant plus qu'au deuxième recensement tenu à Bonaventure, en 1774, plusieurs personnes faisant partie de ce groupe de pêcheurs français, ont déclaré être nées à Bonaventure, tels que: «Madame d'ÉGOUFLE [LEGOUFFE], née Louise BEAUDEAU, *native de l'endroit*; Aubin d'ÉGOUFLE, *natif de l'endroit*, marié à Marie-Barbe DUPUIS: Jean-Marie DUGUAY, *natif de l'endroit*, marié à Marie-Anne OLIVIER; François DUGUAY, *natif de l'endroit*, marié à Madeleine CHAPADOS: Veuve François HUARD, née Geneviève DUGUAY, *native de l'endroit* [3].

3. Voir *Histoire et Généalogie des Acadiens*, volume 1, page 264.

INDEX DES NOMS DE PERSONNES

TABLE